PUBLISHED 2007 June 4

FILE COPY 13.43

Heksenvademecum
De verborgen kracht van magie

Gilly Sergiev

Dit boek is opgedragen aan mijn Weybournse heksenfamilie en
aan de Godin in ieder van ons, want wij kunnen de kracht die in
ons is alleen begrijpen als we weten wie wij werkelijk zijn.

Book copyright © 2002 Godsfield Press
Text copyright © 2002 Gilly Sergiev
The right of Gilly Sergiev to be identified as the author of this work has
been asserted by her in accordance with the UK Copyright, Designs and
Patents Act 1988

Oorspronkelijk in 2002 verschenen als A Witch's Grymoire of Secret Magick
and Spells bij Godsfield Press Ltd., Laurel House, New Alresford, Hants
SO24 9JH, U.K.

Voor het Nederlandse taalgebied:
© Uitgeverij Altamira-Becht BV, Postbus 317, 2000 AH Haarlem
(e-mail: post@gottmer.nl)
Uitgeverij Altamira-Becht BV maakt deel uit van de Gottmer Uitgevers
Groep BV
Vertaling: Aimée van Warmerdam
Vormgeving: The Bridgewater Book Company
Illustraties: Andrew Farmer
Zetwerk: Peter Verwey Grafische Produkties bv, Zwanenburg

ISBN 90 6963 618 2 / NUR 725

www.altamira-becht.nl

Inhoud

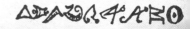

Schepping
Afkomst en verbintenis der heksen

Dit is een boek dat alleen de moedigen zullen lezen en alleen de oprechten zullen begrijpen. Ik hoef geen pen ter hand te nemen om de vluchtige tijd waarin we nu leven te beschrijven want alles verandert en is onzeker. In dit vademecum vind je echter magische geheimen die eeuwenoud zijn en die door de tijden heen mondeling zijn overgedragen van dochter op dochter. Deze oude kennis moet ik nu opschrij-

ven, om er zeker van te zijn
dat de overlevering bewaard
blijft voor degenen die meer
over deze geheimen willen
weten. Vele manen zijn op-
en ondergegaan sinds ik als
maagd heb gedanst en als
moeder heb genezen, en mijn
dagen als oude vrouw lopen
ten einde. Ik voel dat men
mij roept vanuit het vreedzame oord van de eeuwige zomer.
Ik weet dat het wiel altijd blijft draaien, maar voor
wie ik dit schrijf weet alleen de Godin.

Holda, Hexen, Heksen. We stammen allemaal
af van de Godin. We zijn haar dochter en hebben
haar krachten meegekregen. Hoe en wanneer we
onze magische krachten gebruiken is iets tussen ons en
de grote Moeder. Tussen heksen bestaat een bovenaardse
verbintenis die verborgen is voor anderen, maar die zichtbaar kan worden voor hen die ernaar zoeken. We hebben
vele namen maar geen van deze namen is nodig, want we
behoren allemaal tot dezelfde familie. Dit is zoals het is...

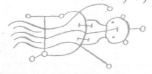

Het begin

In het begin was er alleen Sige. Zij onderging de eindeloosheid, gewikkeld in een zware mantel van stilte en duisternis: alleen en toch niet alleen, groots in haar zwijgzaamheid. En terwijl ze dit onderging dacht ze na over wonderbaarlijke dingen. De hoogtes en dieptes van haar gedachten gaan verder dan wij ooit zullen weten. Het vervulde haar geest zo zeer dat er een moment aanbrak waarop ze niet langer kon zwijgen. Rondzwervend door de leegte, op zoek naar een plaats waar ze haar gedachten kon uiten en tot leven kon laten komen, vond ze uiteindelijk het Niets.

Op die plek kon ze haar gedachten, die ze zo lang bij zich had gehouden, tot leven laten komen: gedachten over de ruimte, het heelal, de lucht en de sterren; de zon, de maan en de zeeën; de aarde en de onderwereld. In haar grootsheid schiep ze alles wat bestaat in de macro- en de microkosmos. En toen dit alles gedaan was, bracht ze haar dochter Triformis voort. Zij was de Maangodin die heerste over het water, de aarde en de onderwereld. Maagd, moeder en oude vrouw. Venus, Gaia en Hecate. In alles wat ze was, was Triformis drie.

Direct daarna bracht Triformis de Zonnegod Actaeon voort

en hij hield van haar. En in alles
wat hij was, was Actaeon twee.
Samen draaiden ze aan het wiel
en zetten ze de cyclus van de aarde
in beweging. En vanaf dat punt
ontsprong de natuur met haar seizoe-
nen. Hierdoor verzamelde het wiel
kracht en bleef het draaien en de Stille keerde terug
naar haar mantel van duisternis en keek toe hoe alles
zich ontplooide.

En terwijl het grote wiel draaide en Sige toe-
keek, kwam er een moment waarop de Zonnegod als twee koningen verscheen: de
Eikenkoning, zoon van de godin Triformis,
en de Hulstkoning, gemaal van de godin
Triformis. Zij waren identieke
nakomelingen van de Zonnegod
Actaeon. In het begin werd hij
geboren uit Triformis als haar
zoon. Hij groeide op om de Eikenkoning te worden die alles overheerste,
godheid van het wassende wiel. Hij regeerde tot de tijd aanbrak van de zomerzonne-

de eik van
de koning

wende, toen het wiel begon af te
nemen en de Hulstkoning zijn kroon
kwam opeisen.

Er ontstond een grote strijd tussen deze twee
en de Eikenkoning werd verslagen. Nu was het
de Hulstkoning die alles overheerste, godheid van het afne-
mende wiel. De Hulstkoning regeerde en had de godin Triformis lief als haar gemaal totdat het wiel opnieuw draaide en
de zonnewende van de winter plaatsvond. De Eikenkoning,
nu herboren, gaf opdracht om de Hulstkoning te offeren. En
zo gebeurde het opnieuw dat de Eikenkoning heerste, in
afwachting van de zomerzonnewende. Triformis rouwde om
het verlies van haar gemaal, de Hulstkoning, maar zij liep
over het land met haar zoon, de Eikenkoning, terwijl ze
wist dat het wiel altijd weer zou draaien.

En zo ging het eindeloos verder; het wiel draaide. De
Eikenkoning van het wassende wiel en de Hulstkoning
van het krimpende wiel zijn voor altijd verbonden in een
cyclus van leven, dood, en wedergeboorte. Als Actaeon boven
verbleef, werd hij erkend als de grote Zonnegod en als hij op
de aarde was, werd hij de gehoornde genoemd, een naam voor
zijn fysieke verschijning als Hertenbok-koning. En zo vond
Triformis haar gelijke, haar zielsverwant Actaeon.

Zij was de maagd Venus Ana Isis,
heerseres over de wateren, vijftien
jaar oud en bedekt met appelbloesem; de heldere nieuwe
maan viert leven en liefde voor de Hertenbok-koning. Zij
was de moeder Gaia Babd Hathor, heerseres over de aarde,
dertig jaar oud, getooid met rozen, de rode volle maan viert
de geboorte en de wedergeboorte van haar zoon, de Eikenkoning. Zij was de oude vrouw Hecate Macha Nephthys, heerseres van de onderwereld, zestig jaar oud, een mand vol
appels in haar armen; de zwarte donkere maan viert de
offering en de dood van de Hulstkoning.

Sige keek en zag dat het
was zoals het
moest zijn:
leven, dood
en wederge-
boorte.
Energie in
alles wat werd
aangeraakt;
en zo begon de
schepping.

Hertenbok-
koning

De hemelse familie en haar krachten

Sige
De Zwijgzame
Belangrijkste Vrouw
Grote Moedergodin

Triformis
Drievoudige Maangodin
Zeemaagd Venus
Moeder Aarde Gaia
Oude vrouw van de onderwereld
Hecate
Maankoningin (moeder)

Actaeon
Zonnegod
Gehoornde God, Cernunnos
De Hertenbok-koning, Dionysus
Hulstkoning (gemaal) / Eiken-
koning (zoon)
Zonnekoning (vader) / Sterrenmeester
(zoon)
Man van het gewas
Koning van het graan

Maagd   Moeder   Oude vrouw

De vier elementen
Aarde/Noord, Lucht/Oost,
Vuur/Zuid, Water/West:
corresponderend met de vier hoe-
ken van het universum en de
vier windrichtingen

 Vuur

 Lucht

 Aarde

 Water

Wachters van de torens

Het kosmische kruis, bestaande uit:
Noord/Taurus, Oost/Aquarius
Zuid/Leeuw, West/Schorpioen

Oorspronkelijk androgyn

Beide seksen in één lichaam
Rechterzijde mannelijk, dierlijke
kracht/linkerzijde vrouwelijk
Godin van de magie

De tweelingen:

Adam + Lilith, Seth + Zoë,
Shiva + Kali, Amun + Hathor,
Hermes + Aphrodite,
Christus + Sophia,
Anima en animus
Anima: vrouwelijke zielsgenoot, een
hemelse moeder, moederkracht
Animus: mannelijke zielsgenoot,
 een hemelse vader, dierlijke kracht

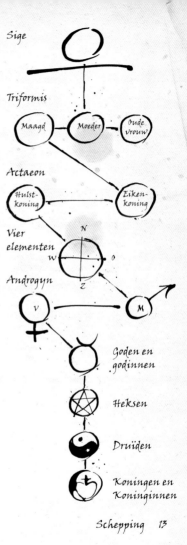

Sige

Triformis

Maagd — Moeder — Oude vrouw

Actaeon

Hulst-koning — Eiken-koning

Vier elementen

Androgyn

Goden en godinnen

Heksen

Druïden

Koningen en Koninginnen

Goden, godinnen en hun dienaren

Het aantal goden en godinnen is oneindig. Ik noem er hier een paar:

<u>Drie gratiën die de Godin helpen:</u>
Aglaia Agapeta (stralende waarheid), Thalia Theonia (bloeiende eenheid), Euphrosyne Irene (bron van wijsheid).

<u>Drie wraakgodinnen die ontheiliging van de Godin bestraffen:</u> Alecto (de oneindige; zij die niet genoemd mag worden), Tisiphone (de bestraffende), Megaera (de afkeurende).

<u>Drie schikgodinnen die over het levenslot beslissen:</u> Clotho Scribunda (spinster van het geschreven lot), Lachesis Ananka (weefster van kansen en wat moet zijn), Antropos Morgana (zij die de levensdraad doorsnijdt; de dood).

<u>Negen muzen die de Godin begeleiden:</u> Thalia (muziek), Polyhymnia (heilige liederen), Euterpe (fluit), Clio (geschiedenis), Calliope (heroïsche poëzie), Erato (erotische poëzie), Terpsichore (dans), Melpomene (tragedie), en Urania (hemelse sterren).

<u>Lud, koning van de bovenwereld, met de zeven</u>
<u>vroedvrouwen voortgekomen uit Aquarius:</u>

i.   Akki (menselijkheid) – vroedvrouw van de
     lucht. Haar talisman is een agaat met een slang
     erin gegraveerd.

ii. Acco (vriendelijkheid) – vroedvrouw van de
     hemel. Haar talisman is een smaragd met
     afbeelding van een yoni.

de yoni

iii. Akna (medeleven) vroedvrouw van de bergen.
     Haar talisman is een saffier met een afbeelding
     van twee in elkaar gedraaide slangen.

iv. Acca (eerbied) – vroedvrouw van het vuur.
     Haar talisman is een robijn met een slang erin
     gegraveerd.

de in elkaar gedraaide slangen

v.   Ana (respect) – vroedvrouw van de sterren.
     Haar talisman is een diamant met een afbeel-
     ding van een draak.

vi. Acat (waarheid) – vroedvrouw van de kristal-
     len. Haar talisman is een kristal met een cirkel.

vii. Zoë (liefde) – vroedvrouw van het Epyreum.
     Haar talisman is een onyx met een opgerolde
     slang erin gegraveerd.

de opgerolde slang

Hel, koningin van de onderwereld, met de zeven
wachters, voortgekomen uit Scorpio:

i. Acru (arrogantie) – wachter van de afgrond.
   Zijn amulet is van goud met het hoofd van een
   leeuw erin gegraveerd.

ii. Agen (afgunst) – wachter van de chaos. Zijn
    amulet is van zilver met een afbeelding van de
    lingam.

iii. Alphe (laster) – wachter van de vervloeking.
     Zijn amulet is van koper met een gevleugelde
     staf erin gegraveerd.

*de gevleugelde
staf*

iv. Bun (bedrog) – wachter van de kwelling. Zijn
    amulet is van ijzer met een adelaar erin gegra-
    veerd.

*de
maansikkels*

v. Kham (luiheid) – wachter van de Hades. Zijn
   amulet is van vast kwik met een afbeelding
   van een zwaard.

vi. Prince (lust) – wachter van de Abaddon. Zijn
    amulet is van tin met twee maansikkels erin
    gegraveerd.

de zon

vii. Unu (hebzucht) – wachter van de Hel. Zijn
     amulet is van lood met een afbeelding van de
     zon.

Andere goden, godinnen en beoefenaars van magie:

het oog van Horus

<u>Anathe</u>: Strijdgodin die de dood als vloek gebruikt – Anathema Maranatha. <u>Aruru en Aryaman</u>: Makers van de mensen uit klei. <u>Barden</u>: Zangers, dichters en geschiedschrijvers. <u>Chronos</u>: God van de tijd. <u>Druïden</u>: Beschermers van de traditie, priesters en leermeesters; duiders van omina, stamhoofden; vertegenwoordigers van de Hertenbok-koning. <u>Druidae</u>: Beschermsters en voorgangsters van de religieuze riten. <u>Eerste menselijke tweeling</u>: Verloren hun androgyne status en werden van elkaar gescheiden als twee aparte menselijke wezens – Adam en Lilith, Seth en Zoë. <u>Elfjes</u>: 'De kleine mensen uit de heuvels' met magische krachten, stammen af van de Tuatha De Danann. <u>Engelen</u>: Aartsengelen, krachten, deugden, tronen, cherubijnen en serafijnen. <u>Filid</u>: Dichters en zieners. <u>Geesten</u>: Bezoekers en gasten. <u>Grimalkins</u>: Vijandige heksen die hun eigen geheimtaal hebben en negatieve krachten gebruiken zoals het boze oog, de wijzende vinger, de geschreven of gesproken vloek, het betoveren van bepaalde objecten, het uitvoeren van negatieve rituele magie die tot angsten leidt, zoals 'de diabolo' waarbij je je

het zand van de tijd

vijand aan de maan omschrijft en vraagt om vergelding. <u>Harpisten</u>: Muziekmakers. <u>Heksen</u>: Dochters en vertegenwoordigers van de Godin, beschermers van de natuur, beoefenaars van magie. <u>Hexen</u>: Vrouwelijke heksen. <u>Holda</u>: Vrouwelijke heksen. <u>Koningen</u>: Mannelijke afstammelingen van Adam – kracht en wapens. <u>Koninginnen</u>: Godinnen uit de bovenaardse wereld – magie en tovenarij. <u>Lucina</u>: Godin van de heksen. <u>Minerva</u>: Strijdgodin van de wijsheid en de maankalender. <u>Nagna</u>: Godin van de naaktheid. <u>Nanshe</u>: Godin van de verkondiging. <u>Priesteressen</u>: Beschermsters van de magie, zieners, voorspellers. <u>Satirici</u>: Strijdgodinnen die spot en satire gebruiken als magische wapens tegen overtreders. <u>Sjamanen</u>: Bezoekers van de bovenwereld; profeten. <u>Tovenaars</u>: Mannelijke heksen. <u>Tuatha De Danann</u>: Kinderen van de godin Danu (moeder van alle goden). <u>Vates</u>: Filosofen, vertolkers van het offer. <u>Zieners</u>: Zij die in de toekomst kunnen kijken.

Sabbats en esbats

Sabbats en esbats zijn heilige dagen die samenhangen met geboorte, dood en wedergeboorte gedurende het jaar van het wiel. De dagen corresponderen met de bewegingen in de bovenwereld. Sabbats worden gehouden op de avond en de ochtend na het heilige moment en corresponderen met de bewegingen van de aarde. Ze zijn gelijk verdeeld over de cirkel van het wiel en worden om de drie maanden gehouden: in februari, mei, augustus en november. Esbats corresponderen met de bewegingen in de hemel en vallen altijd op de eenentwintigste dag van de maand. Ze corresponderen met de zonnewendes en de equinoxen. Ook esbats worden om de drie maanden gehouden: in maart, juni, september en december. (Het woord 'esbat' wordt ook gebruikt voor een heksenvergadering.) Elke sabbat kent een corresponderende esbat. De eerste is:

Yule-esbat (win-terzonnewende)

21 december, gedurende de hele dag – de perio-de van wedergeboorte

De Godin baart haar zoon en iedereen viert het nieuwe jaar en het nieuwe leven. Dit is de kortste dag van het jaar met het minste zonlicht. Dit staat voor het offer van de Hulstkoning die plaats-maakt voor de Eikenkoning. Er worden vuren ontstoken om de wedergeboorte van de Zonnekoning aan te moedigen en het nieuwe leven te vieren. Vroeger werd dit feest ook wel de rozenvergadering genoemd of de vergadering van oudsten.

Wedergeboorte, leven en vernieuwing: Yule/Oimelc/Ostara

Magie, maagdelijkheid en conceptie: Cetshamain/Litha/Bron Trogan

Rust, dood en de weg naar wedergeboorte: Mabon/Samhain/Yule

Oimelc- of Imbolc- sabbat

Begint 's middags 1 februari en eindigt 's middags 2 februari – einde van de winter en de komst van melk.

We vieren het herstel van de Godin nadat zij (als de

maagd Brigantia) haar zoon heeft gebaard. Met de Godin herstelt ook de natuur. Het is het feest van de vernieuwde kracht. Vroeger noemde men dit ook wel de berkenvergadering of de lijsterbesvergadering.

Ostara-esbat (lente-equinox)
21 maart, de hele dag – de periode van voortplanting

Dit is de viering van het nieuwe leven en het ontwaken van het zonnewiel. Het centrum van het wiel staat voor de zon, de spaken staan voor de stralen en de rand voor de nimbus. Maakt men het zonnewiel op het altaar, dan staat het voor de Zonnegod die naar de aarde komt om alles vruchtbaar te maken. Het wiel wordt ook wel in het water gegooid als symbool voor de zon: zij bevrucht het water dat op haar beurt de gewassen voedt. Vroeger noemde men dit de essenvergadering of de elzenboomvergadering.

Cetshamain- of Beltane-sabbat
Begint 's middags 1 mei en eindigt 's middags 2 mei – het begin van de zomer

De Godin is verenigd met haar gemaal, de God (als Belenos), en zij hebben elkaar lief. Tijdens het feest worden vreugdevuren ontstoken om de weg vrij te maken voor puurheid en kracht. De rituelen staan in het teken van seksualiteit en vruchtbaarheid. Vroeger heette dit feest de wilgenvergadering.

Litha-esbat of zomerzonnewende

21 juni gedurende de hele dag – vruchtbaarheid

Dit is de viering van liefde en seksualiteit. De zon is nu op haar hoogste punt maar de Hulstkoning is onderweg om zijn kroon op te eisen. Hij zal de plaats van de Eikenkoning innemen en de metgezel worden van de Godin. Vroeger werd deze viering de meidoornvergadering of de eikenvergadering genoemd.

Bron Trogan (Lughnasadh)

Begint 's middags 1 augustus en eindigt 's middags 2 augustus – verering en viering van de oogst

De Godin, als de moeder Carmain, weet dat de God in haar leeft als kind. Dit is de

periode om heilige plaatsen te bezoeken. Men viert het bin-
nenhalen van de gewassen en de rijke oogst. In de oudheid noemde men dit feest de hulstvergadering.

Mabon-esbat (herfstequinox)
21 september gedurende de hele dag – periode van rust

De wereld is in afwachting van alle
mogelijkheden. Alles wacht, verzamelt
energie en groeit innerlijk. Dit feest werd vroeger de
hazelaarvergadering genoemd.

Samhain-sabbat (Soween)
Begint 's middags 31 oktober en eindigt 's middags
1 november – het opengaan van de poorten naar de
bovenwereld

De Godin, als oude vrouw Morrigan, viert en
betreurt de overgang van haar gemaal
naar de andere wereld. Dit is het einde
van het ene jaar en het begin van
het volgende. Het is de juiste tijd
om in de toekomst te kijken en
om bezoekers uit de bovenwereld
te ontvangen. Vroeger werd dit
feest de klimopvergadering genoemd.

St. Michael's Mount

Glastonbury

Magische plaatsen

De hele wereld is een magische plaats, maar al eeuwen weten we dat er plaatsen bestaan waar de magische krachten extra sterk zijn.

Op de kosmische kaart staan onzichtbare lijnen die dwars door het landschap lopen. Het zijn etherische 'wegen' die de mystieke plekken met elkaar verbinden. De energie van de aarde loopt via deze wegen en op de oude krachtplaatsen kun je toegang krijgen tot deze energie. In Engeland, Wales en Schotland lopen veel magische lijnen: van Glastonbury naar Stonehenge en Canterbury; van St. Michael's Mount in Cornwall via Glastonbury naar Avebury. Al deze plaat-

West Kenneth Avenue in Avebury, Wiltshire

Newgrange, Ierland

sen zijn belangrijke ontmoe-
tingsplaatsen voor heksen.

Ook op natuurlijke
kruispunten in het land-
schap kwamen heksen
samen. Zo'n kruispunt is het
symbolische ontmoetingspunt
van de vier uithoeken van het universum: noord, oost, zuid
en west. Ook bij bronnen, watervallen, meren, moerassen,
bergen en heuvels kunnen de poorten naar de andere wereld
opengaan. Op al deze plaatsen werden in het geheim
rituelen uitgevoerd die maar bij weinigen bekend waren.

Waar je ook leeft, je kunt er zeker van zijn dat er een
oude magische plek in de buurt is. Het kan bij het water
zijn, bij bergen, akkers of zelfs bij vulkanen. Kerken zijn
vaak gebouwd op plaatsen die voor paganisten heilig waren
en kunnen daarom ook gezien worden als monumenten van
een andere heilige tijd. Bij sommige plaatsen, zoals
Stonehenge of de rotspunt in Glastonbury kun je de kracht
heel duidelijk waarnemen maar er zijn veel plaatsen waar
die kracht ook aanwezig is. Of je nu bij de Dode Zee bent of
diep in de woestijn van Egypte, er zijn ontzettend veel
plaatsen waar je de magische energie kunt ervaren.

Glastonbury

Stonehenge

Canterbury

De zodiak

Astrologie en astronomie zijn beide zeer waardevol. Zij vullen elkaar aan en benaderen verschillende aspecten van hetzelfde. Zij zijn de positieve en de negatieve energieën, Ida en Pingala (zie p. 55). Horoscopen, en met name de individuele karaktereigenschappen van de twaalf bekende tekens van de dierenriem, vind je terug in allerlei geloven. Je komt ze tegen in de oude magische en paganistische verhalen en in theorieën en verklaringen van vandaag de dag. Het woord 'zodiak' komt uit het Grieks en betekent 'dierencircus'. Dit heeft betrekking op de mystieke cirkel waarbinnen en waarbuiten de planeten en de sterren liggen die corresponderen met de horoscoop. Het woord 'horoscoop' komt van het Griekse woord 'horoskopos'. Dit betekent 'degene die het uur waarneemt'.

De magische verklaring van de tekens van de zodiak is als volgt: Sige veranderde zichzelf in de slangengodin Aditi en zij liet Aditi daarna gaan als aparte entiteit zodat zij kinderen kon voortbrengen: de tekens van de zodiak. Vanaf dat moment wordt zij in deze verschijning gezien als de moeder van de zodiak. Elke maand van de maankalender bracht de godin Aditi een kind voort en in de dertiende maand maakte zij haar geheime kind. Het is het kind dat nog moet

komen. Twaalf kinderen
zijn bekend maar het
dertiende kind is
verborgen en dit kind
kent vele antwoorden op
de geheimen uit de magie
want het is er zelf een.
Het onbekende kind kan
alleen gevonden worden door
de vereniging van astrologie en
astronomie. De twaalf bekende tekens
vinden we op verschillende manieren terug: in de twaalf
stammen Israëls, de twaalf karaktereigenschappen van de
mens, de twaalf discipelen, de metalen en zo verder.

De dualiteit van de zodiak

Elk kind van zodiak heeft: beide seksen in zich, een corresponderende tweelingziel, bepaalde yin- en yangeigenschap-
pen en bepaalde karaktereigenschappen die terugkomen bij
de mens. Hierna worden de kinderen beschreven zoals ze nu
bekend zijn. Als je de numerieke waarde van elke corresponderende tweelingmaand bij elkaar optelt, zul je zien dat je
steeds op 13 uitkomt: de maand van het onbekende kind.

De tweelingmaanden – oude magische omschrijvingen

Vroeger werden de tekens van de zodiak als volgt beschreven:

Vrouwelijke Waterman (Aquarius) geboren in januari en
mannelijke Steenbok (Capricornus) geboren in december – de
1ste en de 12de maand

Vrouwelijke Vissen (Pisces) geboren in februari en mannelijke
Boogschutter (Sagittarius) geboren in november – de 2de en de
11de maand

Mannelijke Ram (Aries) geboren in maart en mannelijke Schorpioen (Scorpio) geboren in oktober – de 3de en de 10de maand

Vrouwelijke Stier (Taurus) geboren in april en mannelijke Weeg-
schaal (Libra) geboren in september – de 4de en de 9de maand

Vrouwelijke Tweeling (Gemini) geboren in mei en vrouwelijke
Maagd (Virgo) geboren in augustus – de 5de en de 8ste maand

Vrouwelijke Kreeft (Cancer) geboren in juni en mannelijke
Leeuw (Leo) geboren in juli – de 6de en de 7de maand

Taurus/Stier was in de oudheid ook bekend als Jozef, Vrijdag, Koper, Venus, Donkergroen, Smaragd en als Simon de Zeloot. Zij heeft de yin- en yangelementen in zich van Bagdal en Araziel. Haar belangrijkste eigenschappen zijn creativiteit, aanpassing en actie en ze is verantwoordelijk voor de gezondheid van de keel en de nek. Taurus is op het kosmische kruis ook als koe afgebeeld als een van de vier elementen en omvat de lente, de aarde en het noorden. Haar tweelingziel is Libra.

Gemini/Tweeling werd ook wel Benjamin genoemd of Woensdag, Glas, Kwik, Geel, Diamant en als Jakobus de Mindere. Zij heeft de yin- en yangelementen in zich van Sagras en Sarariel. Haar belangrijkste eigenschappen zijn levendigheid en opgewektheid. Ze is verantwoordelijk voor de gezondheid van de schouders en de armen. Haar tweelingziel is Virgo.

Cancer/Kreeft was ook bekend als Ruben, Maandag, Zilver, Maan, Parel en Andrew. Ze heeft de yin- en yangelementen van Rahdar en Phakeil. Haar belangrijkste eigenschappen zijn ontwikkeling en het verbinden van spirituele gidsen. Ze is verantwoordelijk voor de gezondheid van de borsten en de maag. Haar tweelingziel is Leo.

Leo/Leeuw werd ook Simeon genoemd; en Zondag, Goud, Zon, Amber en John. Hij heeft de yin- en yangelementen in zich van Sagham en Seratiel. Zijn belangrijkste eigenschappen zijn vertrouwen en kracht. Hij is verantwoordelijk voor de gezondheid van de rug en het hart. Leo is op het kosmische kruis ook afgebeeld als een van de vier elementen en omvat zomer, vuur en zuiden. De leeuw vind je terug in de poten en de staart van de grote Sfinx. Zijn tweelingziel is Cancer.

Libra/Weegschaal was ook
bekend als Juda, en als Vrijdag,
Koper, Venus, Zeegroen, Turkoois
en Bartolomeüs. Hij heeft de
yin- en yangelementen in zich
van Grasgarben en Hadakiel.
Zijn belangrijkste eigenschappen
zijn evenwicht en vredelievend-
heid en hij is verantwoordelijk
voor de nieren en de lendenen.
Zijn tweelingziel is Taurus.

Virgo/Maagd was ook bekend als
Levi, als Woensdag, Glas, Kwik,
Licht-groen, Jade en Filippus. Zij
heeft de yin- en yangelementen in
zich van Iadara en Schaltiel.
Haar belangrijkste eigenschappen
zijn aanpassing en spiritualiteit.
Ze is verantwoordelijk voor de
gezondheid van de ingewanden en
de plexus solaris. Haar tweelingziel is Gemini.

Scorpio/Schorpioen (met de adelaarsvleugels) was ook bekend als Dan, Vrijdag, IJzer, Mars, Oranje, Vuuropaal en Tomas. Hij heeft de yin- en yangelementen in zich van Riehol en Saissaiel. Zijn belangrijkste eigenschappen zijn creativiteit en vruchtbaarheid. Hij is verantwoordelijk voor de gezondheid van de voortplantings-organen en de darmen. Scorpio is op het kosmi-sche kruis ook als adelaar afgebeeld als een van de vier elementen en omvat herfst, water en westen. Een belang-rijk onderdeel van Scorpio komt terug in de adelaarsvleu-gels van de grote Sfinx. Zijn tweelingziel is Aries.

Sagittarius/Boogschutter was ook bekend als Naph-tali; als Donderdag, Tin, Jupiter, Saffier en Jakobus. Hij heeft de yin- en yangelemen-ten in zich van Vhnori en Saritaiel. Zijn belangrijkste eigenschap ligt in het leiding-geven. Hij is verantwoordelijk voor de gezondheid van de heupen en de eierstokken. Zijn tweelingziel is Pisces.

Capricornus/Steenbok werd ook Gad genoemd en Zaterdag, Lood, Saturnus, Blauwzwart, Onyx en Matteüs. Hij heeft de yin- en yangelementen in zich van Sagdalon en Semakiel. Zijn belangrijkste eigenschappen zijn het onderscheid maken en het oplossen van problemen. Hij is verantwoordelijk voor de gezondheid van de knieën en de kuiten. Zijn tweelingziel is Aquarius.

Aquarius/Waterman was ook bekend als Asher, Zaterdag, Lood, Saturnus, Uranus, Violet, Aquamarijn, Amethist en Taddeüs. Zij heeft de yin- en yangelementen in zich van Archer en Ssakmakiel. Haar belangrijkste eigenschap is intuïtie. Ze is verantwoordelijk voor de gezondheid van de enkels en de bloedsomloop. Aquarius is op het kosmische kruis ook in menselijke vorm afgebeeld als een van de vier elementen en omvat winter, lucht en oosten. Een belangrijk kenmerk van de Waterman is in de grote Sfinx terug te vinden in het menselijk gezicht. Haar tweelingziel is Capricornus.

Aries/Ram werd ook
Zebulon genoemd en Donderdag, IJzer, Mars, Rood, Robijn
en Petrus. Hij heeft de yin-
en yangelementen in zich
van Sataaran en Sarahiel.
Zijn belangrijkste eigen-
schap is het streven naar
geluk en voorspoed. Hij is
verantwoordelijk voor de gezondheid van het hoofd en het
gezicht. Zijn tweelingziel is Scorpio.

Pisces/Vissen was ook bekend als Issacher,
Donderdag, Tin, Jupiter, Neptunus,
Turkoois, Aquamarijn en als Judas
Iskariot. Zij heeft de yin- en yangelementen in zich van Rasamasa en
Vacabiel. Haar belangrijkste eigenschap
is de voorspellende droom en ze is
verantwoordelijk voor de gezondheid
van de voeten en de nagels. Haar
tweelingziel is Sagittarius.

Tarot

Er bestaan veel onduidelijkheden en tegenstrijdigheden over de herkomst van tarot. Maar of het nu uit het oude Egypte komt of uit Atlantis, India, Italië, Frankrijk of van de oude gnostici, feit is dat het een van de belangrijkste sleutels is tot de mysteriën. Het is niet zo belangrijk waar het nu precies vandaan komt, belangrijker is dat de kennis is over-

T =	Theorie
A =	Adaptatie
R =	Realisatie
O =	Objectiviteit
T =	Transformatie

geleverd en dat je, als je kunt doordringen tot de esoterische betekenis, een gids hebt die je kunt volgen tijdens je innerlijke reis naar een onafhankelijk ik.

Het oorspronkelijke tarotspel had waarschijnlijk 86 kaarten maar door de eeuwen heen zijn acht kaarten verdwenen. Volgens sommigen waren dit Vertrouwen, Hoop, Liefdadigheid, de Pausin, Aarde, Lucht, Vuur en Water. De 78 kaarten die er nu zijn bestaan uit 56 gekleurde

De Maan

De Heremiet

kaarten (de kleine Arcana) en 22
troefkaarten (de grote Arcana).

De vier series van elk veertien
kaarten bestaan uit pentakels of
munten (aarde, zekerheid en geld),
kelken (water, liefde en gevoelens),
zwaarden (vuur, verandering,
kracht), staven (lucht, conflict en
succes). Sommigen verbinden
zwaarden liever met lucht, en
staven met vuur. Hierover bestaat
onenigheid; bepaal zelf welke
betekenis je eraan wilt geven.

Tarot is eigenlijk verwant aan de
occulte Levensboom. Het verbindt
alle vormen van magie en mythen,
van alchemie tot kabbala. De
kaarten bevatten een geheime leer en geven informatie uit
de andere wereld en iedereen die zich met tarot bezighoudt
zal op een andere manier beloond worden. Het is onmogelijk
om zoiets belangrijks in kort bestek uit te leggen, maar ik
zal toch een poging doen om duidelijk te maken waar
tarot volgens mij om gaat en waarom het zo verrijkend

kan zijn om je erin te verdiepen.

In haar simpelste vorm is tarot een verzameling kaarten met cijfers of afbeeldingen die in verband staan met de geweldige reis door het leven. Tijdens die reis is de 0-kaart, de Dwaas, je reisgenoot. De Dwaas, meestal een jonge man met een hond of krokodil aan zijn voeten, staat eerder voor 'de onschuldige' dan voor de zot – de dwaasheid verwijst naar de naïviteit van een persoon die nog niets geleerd heeft. Aan het begin van de tarotreis zijn we allemaal naïef en dus zijn we eigenlijk allemaal kosmische dwazen.

De eindkaart is nummer 21, de Wereld. Dit is meestal een afbeelding van een vrouw die danst van vreugde. De Dwaas is tijdens de tarotreis getransformeerd naar een alles begrijpende en verlichte vrouwelijke persoon. Tijdens de reis kunnen de kaarten 1 tot 21 oneindig veel manieren laten zien om kennis te vergaren over het leven, over jezelf en over anderen. De informatie is onuitputtelijk – het is aan de reiziger zelf om te bepalen hoeveel informatie hij uit de kaarten haalt. Er zijn letterlijk honderden manieren om de kaarten te duiden en te lezen.

Een goede manier om vertrouwd te raken met de kaarten is om ze allemaal neer te leggen met de Dwaas bovenaan gevolgd door drie rijen van zeven kaarten: 1 tot en met 7, 8 tot en met 14, en 15 tot en met 21. Zo kun je in één keer de hele reis van het leven overzien. Gebruik de kaarten voor voorspellingen en voor spirituele ontwikkeling en de antwoorden zullen gegeven worden. Ik geloof dat het uiteindelijke doel van de tarot is om ons te helpen een onafhankelijk en compleet individu te worden. Iedereen moet de kracht zien te vinden om de levensvragen waarmee we allemaal worstelen om te kunnen zetten in kennis en bewondering voor de waarheid.

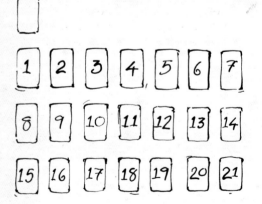

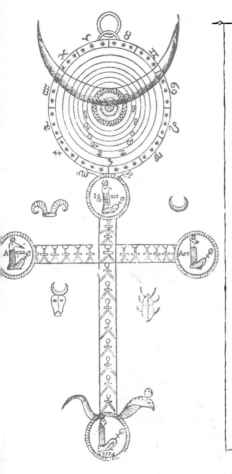

Ether

Dit is een magische
kracht die ook wel 'prana'
of 'chi' wordt genoemd.
Het is om ons heen, in ons,
boven ons en onder ons, in
alle dingen en
daarbuiten. Het is
constant in beweging en
verandert voortdurend
van vorm en door er
contact mee te maken,
kunnen wij dit ook.
Formules kunnen
verbroken worden door de
kracht van ether, de
ultieme levenskracht van
de Godin in al haar glorie.

Mysteriën
Vliegen

Vroeger gebruikte men een geheime mix van hallucinerende kruiden als hulpmiddel om de ervaring van het vliegen op te roepen. Dit waren zeer gevaarlijke kruiden zoals monnikskap, doornappel, bilzekruid, giftige paddestoelen en dodelijke nachtschade. Deze kruiden werden gemengd met vet en op de huid gesmeerd. In deze verlichte dagen is het onmogelijk om het gebruik van deze gevaarlijke medicijnen aan te moedigen. Hoe 'natuurlijk' ze ook lijken, de genoemde kruiden kunnen dodelijk zijn en wie ermee experimenteert vraagt om problemen: gebruik ze niet! Wees wijzer. Er zijn eenvoudige alternatieven die niet schadelijk zijn en die de zinnen prikkelen die in verband staan met de ervaring van het vliegen. Pepermunt en komkommer kunnen bijvoorbeeld een licht en tintelend gevoel geven als je ze onder je voetzolen wrijft, een glas rode wijn kan de zinnen stimuleren, enzovoort. Of je het gevoel van vliegen kunt ervaren hangt af van het niveau van concentratie en meditatie. Alternatieve kruiden en magische rituelen kunnen je hierbij helpen.

Het tweede belangrijke hulpmiddel was de bezem waarop je ging zitten of liggen voordat je de rituelen uitvoerde. Het derde belangrijke hulpmiddel was het gebruik van Mana en Numen – de soorten geestelijke magie die een heks kan gebruiken om haar werk te vergemakkelijken. Hiertoe behoren verschillende ademhalingsoefeningen, visualisatietechnieken, muzikale betoveringen en invocaties. Door deze drie belangrijke hulpmiddelen te combineren kan de heks een meditatieniveau bereiken waarop haar etherische dubbelganger haar lichaam kan verlaten en overal heen kan vliegen.

Scrying

Het Engelse woord 'scrying' komt van het woord 'descry', wat 'opmerkzaam' betekent. Je gebruikt het woord voor het voorspellen of waarzeggen met het kristal, maar in feite kun je het doen met alles wat een weerspiegelend oppervlakte heeft. Denk bijvoorbeeld aan de zwarte steen, water, olie, spiegels enzovoort. Tarotkaarten lezen, runen werpen of handpalm lezen kun je ook opvatten als scrying, omdat het allemaal methoden zijn om te zien.

De kristallen bol wordt van oudsher alleen na het middaguur gebruikt en het is nog beter als je hem alleen 's nachts gebruikt. Het is het gereedschap van de maan, en daarom zou het alleen de stralen van de maan moeten opvangen. Zonnestralen kunnen de bol beschadigen en alleen met een uitgebreid ritueel kun je ervoor zorgen dat hij de magie van de maan weer terugkrijgt. Bewaar de bol of de spiegel onder een zwarte doek om de schadelijke energie van het daglicht tegen te houden en gebruik hem alleen in een donkere kamer bij kaarslicht. De geur van mirre is zeer geschikt voor scrying, maar elke geur heeft voor iedereen een andere betekenis. Gebruik daarom wierook die voor jou past bij de andere wereld.

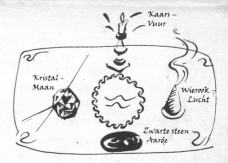

Spiegels en kristallen moeten eerst gewassen worden in een oplossing van azijn en bronwater. Daarna moeten ze drooggewreven worden met een schone doek.

Door bronwater over het kristal te sprenkelen vergroot je niet alleen de helderheid van de kristal, de kristal maakt daardoor ook contact met het element water. De kaars is het symbool van het element vuur; wierook van het element lucht en een magische steen of een houten tafel of vloer waar de kristallen bol op staat vertegenwoordigt het element aarde. De kristal is het symbool van de geest. Dus nog voor je echt begint, ben je beschermd door de spirituele energie om je heen.

Iedereen heeft een andere manier om te zien en het moment waarop je iets ziet is bij iedereen verschillend. Het is dus niet zo dat er direct een beeld verschijnt. Gebeden, rituelen en zachte achtergrondmuziek kunnen helpen. Het gaat erom dat je jezelf los kunt maken van deze wereld en toegang vindt tot die andere. Door de kracht van de resonantie van de kristal, of door de atomen van de spiegel, is dit niet moeilijk. Ontspan en richt je tot de andere wereld door je helemaal vrij te maken. Laat je gaan en laat de beelden, gedachten en woorden tot je komen. Het is aan jou om je eigen weg te vinden.

Uitbannen

Het doel van uitbannen is om ongewenste spirituele energie kwijt te raken. Als je de aanwezigheid van een ongewenste bezoeker uit de spirituele wereld voelt, teken dan een magische cirkel met je staf en roep de kracht op. Maak vervolgens met je staf het teken van het pentakel terwijl je een voor een in de richting van de punten van het kompas gaat staan en zeg: 'Ik roep de Godin Triformis aan Maagd, Moeder en Oude Vrouw; en met de kracht van de Enige verban ik alle negatieve gedachten, woorden en daden. Ik los alle negatieve energie op met de kracht van het pentakel en breng licht waar het donker was. Alle negatieve energie die op mij is gericht, stuur ik terug naar waar het vandaan komt, drie keer drie. Amen.'

Om te onthouden

Mannen bewegen altijd in de richting van de zon: deosiel (met de klok mee).
Vrouwen bewegen altijd in de richting van de maan: widdershins (tegen de klok in).

Het Rechtvaardige Zwaard

Ook door denkbeeldig gebruik te maken van het Rechtvaardige Zwaard kun je iets uitbannen. Ga met je gezicht richting het zuiden staan, ontspan je en zie voor je hoe je een groot gouden zwaard in je rechterhand houdt. Zie nu voor je hoe je groeit en sterker wordt en hoe je, gekleed in een harnas, een krijger bent van het magische koninkrijk.

Zeg nu:

'In de naam van Hecate neem ik het
   Zwaard van het Rechtvaardige Vuur
Voor mijn verdediging tegen al het
   kwaad in de Rechtvaardige Strijd.'

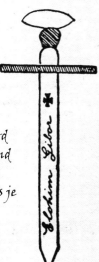

Begin in het zuiden en teken met het zwaard een cirkel. Wijs met het zwaard naar de grond en visualiseer hoe uit het zwaard een goudkleurige cirkel van vlammen komt. Als je weer bij het zuiden bent, hou je het zwaard omhoog met de punt naar boven en zeg je:

'Moge de kracht van Hecate en de engelen van de wereld
de houder van het Rechtvaardige Zwaard herkennen en mogen zij mij leiden in alles wat ik doe.
Nogmaals zeg ik, moge de kracht van Hecate en
de engelen van de wereld mij bijstaan in de
Rechtvaardige Strijd.
Nog één keer zeg ik, moge de kracht van
Hecate en de engelen van de wereld
met mij zijn, voor altijd. Amen.'

Laat je zwaard zakken en zie voor je hoe
het met een krachtige stoot in de aard steekt.

Het verzegelen van het aura of
het kruisritueel

Dit ritueel kan op elk moment worden uitgevoerd en zal je
aura versterken en je beschermen tegen elke vorm van
kwaad. Richt je tot het noorden en verzegel de aura (maak
het kruisteken) op je lichaam. Gebruik je wijs- en
middelvinger van je rechterhand:

Raak je voorhoofd aan en zeg: 'Aan u o Godin...'
Raak je borstbeen aan en zeg:
'...moge het hele Heilige Rijk...'
Raak je linkerschouder aan en zeg:
'...en de Heilige Glorie...'
Raak je rechterschouder aan en zeg:
'...en alle Goddelijke Kracht...'
Klap in je handen en zeg:
'..tot het einde der tijden en daarna,
in uw teken staan. Amen.'

Als je niet zeker weet of er negatieve krachten
zijn, kun je uien of knoflook door het huis
verspreiden (zie p. 91). Deze gewassen nemen
elke vorm van kwaad op. Als het kwaad weg is,
is de ui of de knoflook vergiftigd. Daarom moet je
de ui of knoflook verbranden, begraven of in het
water gooien. Distels worden ook op deze
manier gebruikt. Je kunt ze ook ter
bescherming op je lichaam dragen. Er
wordt gezegd dat distel met name
dieven op afstand houdt.

De geestelijke bewaker

De geestelijke bewaker kun je in het leven roepen door een amulet te maken met een rode cirkel en een zwart zonnekruis in het midden (het zonnekruis is een bekend symbool voor de sleutel naar de andere wereld). Het gaat erom dat je mediteert aan de hand van het amulet terwijl je vraagt om hulp.

Ik heb dit gedaan tijdens een moeilijke periode in mijn leven. Terwijl ik mediteerde had ik het intense gevoel dat er een sterke beschermende kracht om me heen was, ook al zag ik niets. Toen ik later die nacht lag te slapen, had ik een prachtige droom. Ik droomde dat ik in een donkere kamer stond en dat er een duistere kracht achter mij was. Plotseling groeide ik tot hoog in de lucht en toen ik opkeek zag ik een groot teken van een driehoek met een oog erin (de driehoek is een magisch symbool en het oog staat voor het mystieke 'derde oog'). Ik zweefde naar het teken en op het moment dat ik erin wilde duiken, werd ik wakker! Vaag, zullen sommigen zeggen maar nog voordat de week om was, waren mijn problemen opgelost.

De geestelijke bewaker is een entiteit die je zelf moet aanwenden en waar je je eigen oordeel over moet vormen. Ik geloof echter heilig in de beschermende kracht ervan, of die nu verzameld is door heksen en tovenaars in deze wereld of in die andere. Mijn amulet bestaat nu uit een driehoek met een oog erin omdat dat op dit moment van mijn leven belangrijk voor me is. Hoe dan ook, dat is voor jou nog niet aan de orde.

Familiares en famuli

Een familiaris is een dienaar van een heks en een famulus is een dienaar van een tovenaar of magiër. Meestal verschijnen ze als dieren, maar hun geest is heilig. Zij kunnen de heks helpen met behulp van hun uitzonderlijke krachten. Ze brengen magische energie bijeen en kunnen die op verschillende manieren gebruiken. Zo kunnen ze iets op verre afstand horen en de heks hierover inlichten, ze kunnen helpen bij bepaalde rituelen en ze kunnen iemand waarschuwen als er negatieve energieën zijn.

Kat: de maan, oude geheimen, contact en reizen

Kikker: vruchtbaarheid en regen

Familiares spreken een eigen taal die de heks begrijpt. Hieronder vind je een beschrijving van een aantal bekende familiares met hun eigenschappen en krachten.

Koe: de maan en vruchtbaarheid

Paard: Epona, Diana en reizen

Zwaan: puurheid, geluk en wedergeboorte

Beer: de maan en water

Hert: vruchtbaarheid en voorspoed

Vis: wijsheid en magische kracht

Stier: vruchtbaarheid en bescherming

Eend: reiniging en zonnekracht

Kraanvogel: seksualiteit en taboe

Ram: seksualiteit en kracht

Raaf: brenger van kennis – boodschapper

Hond: de maan en de onderwereld

Slang: vruchtbaarheid
en wedergeboorte

Vleermuis: geluk
en brenger van
voorspoed

Haas: maankracht
– loyaal en
opofferend

Geit: magie, genezing
en reiniging

Uil: wijsheid van
de maan

Slak: reiniging en
maankracht

Wolf: de maan
en gloed

Het pentakel

Het pentakel is een magisch amulet met de afbeelding van een vijfpuntige ster (het pentagram) binnen een cirkel. De kracht komt voort uit de combinatie van de symbolen:

Cirkel – Sige
Ster – Actaeon
Vijf punten – de vier
elementen en Triformis

Deze elementen vormen samen de Heilige Familie. De Egyptenaren gebruikten deze afbeelding als hiëroglief voor 'de navel van de aarde' en het sterke verband met het heksenritueel is onbetwist. Als het pentagram naar boven wijst, duidt dat op levensenergie (yang), wijst het naar beneden dan duidt dat op passieve energie (yin). Het pentagram is ook een van de bekendere posities die een heks inneemt als zij wil waarzeggen en een hogere kracht wil aanroepen: het hoofd omhoog (eerste punt), de beide armen gestrekt (tweede en derde punt) en de beide benen gestrekt (vierde en vijfde punt).

het lichaam vormt
een pentagram

Een bekende rituele invocatie met het pentakel stamt
uit de tijd van de Abra-Melin (een oude gnostische theorie
van de magie):
Raak je derde oog aan (tussen je wenkbrauwen) en zeg:
    'Athoh...' (aan u)
Raak je borst aan en zeg: '...Malkus...' (de rijkdom).
Raak je rechterschouder aan en zeg: '...ve-gevurah...'
    (de kracht).
Raak je linkerschouder aan en zeg: '...ve-gedulah...'
    (de glorie).
Klap in je handen en zeg: '...le-olam. Amun.'
    (voor altijd. Amen.)

Harmonische magie

Dit is magie waarbij je kracht ontvangt door je in te leven in een object of een entiteit. Door iets of iemand te imiteren kun je de essentie van dat object of die entiteit bereiken. Als de heksenpriesteres de maan aanroept (zie p. 76), is zij in harmonie met de Godin en door haar symbolen te dragen, wordt zij de Godin tijdens de magische ceremonie. De druïdenpriester draagt horens op zijn hoofd als symbool voor de Hertenbok-koning en op die manier kan hij met de kracht van de koning werken.

Het gebruik van poppen valt ook onder harmonische magie omdat de pop in harmonie is met iemands afbeelding. Er is sprake van harmonische magie zodra een object of een persoon de verschijning aanneemt van de entiteit waar iemand mee wil werken.

de druïdenpriester wordt de echte Hertenbok-koning door zijn gewei te dragen

Chakra's

De draaiende wielen van de kosmische energie komen op zeven punten terug in ons lichaam. Deze lichaamscentra staan bekend als chakra's. De positieve en de negatieve energieën die van de chakra's komen staan bekend als Ida en Pingala. Als de negatieve en positieve energieën in balans zijn, kunnen zij de chakra's transformeren in puur licht. Wanneer alle chakra's draaien en volledig licht zijn, wordt de heks omringd door een schitterende, heldere aura van lichtkracht. Op dat moment is de hoogste vorm van magie mogelijk. De gezondheid van die persoon is heel erg goed en de persoon ervaart een totaal gevoel van welzijn. Als de chakra's echter niet gelijk lopen, kun je de balans herstellen met hun corresponderende kleuren en kristallen.

Het kruinchakra draait in en om de kruin van het hoofd en reageert op de verschillende variaties paars en op de kristallen amethist, kornalijn, diamant, rhodoniet en het metaal koper. In het lichaam staat het kruinchakra in verband met het zenuwstelsel, de hersenen, spiritualiteit en het mentale vermogen, nervositeit, slaap en de pijnappelklier.

Het voorhoofdchakra draait in en rond het voorhoofd en reageert op de verschillende kleuren donkerblauw, op de kristallen agaat, amazoniet, maansteen en peridoot, en op het metaal brons. In het lichaam staat dit chakra in verband met de ogen, de hypofyse, mentale en emotionele stoornissen en de hypothalamus.

Het keelchakra draait in en rond de keel en reageert op de verschillende schakeringen lichtblauw, op de kristallen howliet (of hauyn), azuriet, blauwe saffier, chrysoberil en de moederparel. In het lichaam staat dit chakra in verband met de ademhaling, de longen, de creativiteit, het geheugen en met de schildklier.

Het hartchakra draait in en rond de borst en reageert op de verschillende schakeringen groen, op de kristallen aventurijn, robijn, sodaliet en smaragd en op het metaal goud. In het lichaam staat dit chakra in verband met de bloedsomloop, het immuunsysteem, de bloeddruk, liefde en compassie en met de thymusklier.

Het navelchakra draait rond het centrum van de maag en reageert op de verschillende kleuren geel en op de kristallen kwarts, groene jaspis, obsidiaan en agaat. Dit chakra staat in verband met de maag en de spijsvertering, met spanning en emoties en met de alvleesklier.

Het heiligbeenchakra draait in en rond de navel en reageert op de verschillende schakeringen oranje, op de kristallen dolomiet, hematiet, maansteen, bloedsteen en granaat en op het metaal zilver. Dit chakra staat in verband met vruchtbaarheid, de nieren, de blaas, intuïtie en de eierstokken.

Het wortelchakra draait in en rond het onderste gedeelte van de ruggengraat; het reageert op de verschillende kleuren rood en op de kristallen kornalijn, tijgeroog, kunziet, onyx en gele zirkoon. In het lichaam staat dit chakra in verband met de voortplanting, overleven, het ego, zelfvertrouwen en de bijnieren.

Rituelen

De magische cirkel en de kegel van kracht

Sommige oude tradities schrijven voor dat de magische cirkel met een athame (magisch mes) gemaakt moet worden en dat de doorsnede precies 2,7 meter moet zijn. De magische cirkel zou altijd moeten bestaan uit twee buitenringen met in het midden een pentakel die de derde ring vormt. Dit is natuurlijk een prachtige cirkel en als het mogelijk is zou ik het ook zeker zo doen, maar voor heksenkracht is de afmeting en de samenstelling van de cirkel niet heel erg belangrijk. Elke cirkel die jij oproept en die jij betovert zal

werken. Binnen jouw cirkel creëer jij je eigen kegel van kracht.

Alleen de cirkel zelf is al krachtiger dan velen ooit zullen weten en in de magie gelden geen strikte regels. We zijn allemaal verschillend en onze vermogens ook. Ik gebruik een toverstaf om mijn cirkel op te roepen omdat het oosten en het element lucht het beste bij mij passen. De beste cirkel voor jou is de cirkel die jij maakt op basis van jouw gevoel.

Als je voor het eerst een cirkel maakt, kan je dat doen op de traditionele manier: met de krachten van de elementen. Nadat je bent gewassen en omgekleed, ga je voor je altaar staan met je gezicht naar het oosten. Richt de staf naar boven en maak een cirkel. Beweeg langzaam met de klok mee en wijs naar het noorden, het westen, het zuiden en weer naar het oosten. Visualiseer hoe uit je staf een betove- rende witte wolk van kracht komt die om je heen een magi- sche cirkel vormt. Deze wolk wordt sterker en groeit totdat hij jou volledig omringt, van het hoogste tot het diepste punt en tot in alle uithoeken. Doe dit totdat je volledig binnen in de magische cirkel staat.

Vanuit het midden kun je nu de kegel van kracht oproe- pen die van het hoogste punt in een spiraal van boven in je komt, of vanuit jou naar boven gaat. Als je kracht wilt ontvangen voor magie, kniel dan voor het altaar en hef je armen in de lucht. Houd je armen zo wijd en zo hoog mogelijk zodat de kracht in je kan stromen. Als je jouw kracht de ether in wilt sturen, kniel dan voor het altaar en richt je armen naar beneden. Raak de grond aan zodat de kracht in de aarde geleid wordt. De kegel van kracht zal sterker worden als je zingt, danst en toverformules uitspreekt.

Lever je geest over aan deze magie en je zult merken dat je volstroomt met energie en levenskracht. Als je klaar bent, klingel dan drie keer met de bel en zeg na elke keer: 'Het is gedaan.' Plaats nu beide handen op het pentakel en wacht een tijdje terwijl je nadenkt over de nieuwe krachten die je gevonden hebt. Als je tot rust gekomen bent, breng je de cirkel terug in je toverstaf door weer naar het oosten te gaan staan en je toverstaf in de tegenovergestelde richting te bewegen: zuid, west, noord en oost. Visualiseer hoe de witte wolk in je staf verdwijnt.

De Wachters van de torens –
Het bezegelen van het pentakel

L ang geleden waren er verhalen over magie die iedereen kende. Dit was voordat de erkende religies op de wereld deze verhalen overnamen en veranderden. In de loop van de tijd werden de namen en verhalen in een andere religieuze context gebruikt. Er bestaan veel verhalen over de Wachters van de torens maar het verhaal dat ik hier vertel is het oorspronkelijke verhaal.

Er zijn twee mannelijke en twee vrouwelijke wachters. Het woord 'wachter' verwijst naar hun status en niet naar hun sekse. Elke wachter bevindt zich in een van de vier uithoeken van het universum die corresponderen met de elementen. De namen van de vier wachters kennen we als de namen van de vier aartsengelen maar in feite zijn ze veel ouder. Samen worden ze ook de Tetrade genoemd en hun symbool is het equidistante of kosmische kruis. De Tetrade begeleidt en beschermt je tijdens je spirituele ontwikkeling en waakt over de naties van de wereld. Door hen aan te roepen, beschermen zij je bij alles wat je doet.

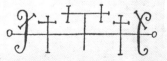

Wachters van de torens

het
kosmische
kruis

In het noorden regeert de aartsengel Uriël. Zij is de wachter van
de aarde en haar dienaars
zijn de aardgeesten. Haar
naam is Nanta en haar kleur
is groen. Haar symbool is de heilige koe.
In het westen heerst de aartsengel
Gabriël. Zij is de wachter van het water, haar dienaars zijn
de nimfen. Haar naam is H'coma, haar kleur is blauw en
haar symbool is de heilige schorpioen met de adelaarsvleugels.
In het zuiden heerst de aartsengel Michaël. Hij is de wachter van het vuur en zijn dienaars zijn de salamanders.
Zijn naam is Bitom en zijn kleur is rood. Zijn symbool is de
heilige leeuw.
In het oosten heerst de aartsengel Rafaël. Hij is de wachter
van de lucht en zijn dienaars zijn de luchtgeesten. Zijn
naam is Exarp en zijn kleur is wit. Zijn symbool is de heilige menselijke figuur.

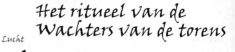

Het ritueel van de Wachters van de torens

Gebruik je altaar of een ronde tafel en schrijf de namen op van de vier wachters. Zet een steen in het noorden voor de wachter van de aarde; een kelk in het westen voor de wachter van het water; een kaars in het zuiden voor de wachter van het vuur; een wierookstokje in het oosten voor de wachter van de lucht. Ga richting het noorden staan en hef je toverstaf op. Wieg zachtjes heen en weer en fluister dan naar het noorden: 'Houd over mij de wacht, Nanta Aarde, en bescherm mij tegen al het kwade dat uit het noorden komt, met de kracht van het gezegende pentakel. Ik stuur al het kwade terug naar waar het vandaan komt, drie maal drie.' Maak met je staf het teken van het pentakel in de richting van het noorden en visualiseer hoe elke vorm van kwaad teruggaat naar de afzender met de drievoudige kracht van drie.

Draai nu naar het westen en fluister: 'Houd over mij de wacht, H'coma Water, en bescherm mij tegen al het kwade

dat uit het westen komt, met de kracht van het gezegende pentakel. Ik stuur al het kwade terug naar waar het
vandaan komt, drie maal drie.' Maak het teken van
het pentakel in de richting van het westen en visualiseer
hoe elke vorm van kwaad teruggaat naar de afzender.

Richt je nu tot het zuiden en fluister: 'Houd over mij de
wacht, lieve Bitom Vuur, en bescherm mij tegen al het kwade
dat uit het zuiden komt, met de kracht van het gezegende
pentakel. Ik stuur al het kwade terug naar waar het
vandaan komt, drie maal drie.' Maak het teken van
het pentakel in de richting van het zuiden en visualiseer hoe elke vorm van kwaad teruggaat naar de afzender.

Richt je nu tot het oosten en fluister: 'Houd over mij de
wacht, lieve Exarp Lucht, en bescherm mij tegen al het
kwade dat uit het oosten komt, met de kracht van het gezegende pentakel. Ik stuur al het kwade terug naar waar
het vandaan komt, drie maal drie.' Maak het teken van
het pentakel in de richting van het oosten en visualiseer hoe elke vorm van negatieve kracht teruggaat
naar de afzender met de drievoudige kracht van drie.

Richt je tot slot weer naar het noorden, wijs met je staf of
athame naar de grond en zeg: 'Zo zal het zijn, in de heilige
naam van de Tetrade. Amen.'

Initiatie

Initiatie vindt plaats als een persoon gereed is om werkelijk heks te worden en bereid is om alle gevolgen daarvan te accepteren. Initiatie is het moment waarop de nieuwe identiteit tijdens een ceremonie bevestigd wordt. Dit gebeurt tegenover de andere wereld en tegenover deze door zijn of haar heilige wedergeboorte. Het is het moment waarop een nieuwe naam wordt gegeven en verkregen en waarop de heks wordt verwelkomd in haar nieuwe wonderbaarlijke familie. Hoe dat gedaan wordt, hangt natuurlijk af van het individu en van de leden van de heksenkring, maar het gaat erom dat de nieuwe kracht verwelkomd wordt binnen de kosmische cirkel. Men eet brood als teken dat iemand 'de vruchten van de aarde deelt', er wordt wijn gedronken als teken dat iemand 'deel uitmaakt van de geest van de Enige', en het zout wordt gezegend in water als teken dat de 'heilige mysteriën verborgen zijn in alle dingen'.

Het zegenen van zout en water

Voer dit ritueel uit met twee vingers. Wijs met je vingers naar het zout en zeg: 'Ik zegen u, heilige essentie van de Aarde, bij de levende Godin, de Maagd Venus; bij de heilige Godin, de Moeder Gaia; bij de almachtige Godin, de oude vrouw Hecate; opdat je gezuiverd wordt van alle kwade invloeden in de naam van Actaeon, de Zonnegod, Heer der engelen.'

Beweeg je vingers over het zout en zeg: 'Heilige essentie van de Aarde, vier uw ont-staan. In de naam van Sige, de Enige, schep-per van alle dingen, en in de naam van Actaeon, de Zonnegod. Ik zegen u in dienst van Triformis, in haar zuivere en rechtvaar-dige naam. Amen.'

Wijs met je vingers naar het water en zeg: 'Ik zegen u, heilige essentie van het Water, bij de levende Godin, de Maagd Venus; bij de heilige Godin, de Moeder Gaia; bij de almachtige Godin, de oude vrouw Hecate; opdat je gezuiverd wordt van alle kwade invloeden in de naam van Actaeon, de Zonnegod, Heer der engelen.'

Beweeg je vingers over het water en zeg: 'Heilige essentie van het Water, vier uw ontstaan. In de naam van Sige, de Enige, schepper van alle dingen, en in de naam van Actaeon, de Zonnegod. Ik zegen u in dienst van Triformis, in haar zuivere en rechtvaardige naam. Amen.'

Strooi het zout nu in het water en zeg: 'Wij bidden tot u, o Godin, Moeder van de Oceanen, de Aarde en de Onderwereld. Liefde is in alles wat zichtbaar en niet-zichtbaar is, we vragen u deze schepsels van de elementen te omarmen, uw machtige blik op hen te werpen, en hen te zegenen met uw Heilige naam. Geef dit zout de kracht die het lichaam kan reinigen en geef dit water de kracht die de ziel gezond kan maken, zodat elke vorm van kwaad verbannen wordt. In de naam van Actaeon, de Zonnegod, en in de naam van de Godin, de enige ware liefde en het licht en de duisternis. Amen.'

Het water dat gezegend is met het zout, kun je gebruiken voor een zuiverend bad, om cirkels te maken, om heilige bezweringen uit te voeren en om een ruimte of ceremoniële plaats te besprenkelen.

Het wicca-huwelijk

Dit huwelijk is een ritueel waarbij we vieren dat twee gelijke zielen elkaar gevonden hebben en dat zij één worden. De twee bevestigen hun verlangen om verbonden te zijn ten overstaan van iedereen in deze wereld en ten overstaan van de heilige liefde van de Godin. De verbintenis is de paganistische voorloper van de huwelijksceremonie. Het is niet gebonden aan een bepaalde tijdsduur en het staat boven de regels en bepalingen van de mens. Het wicca-huwelijk is een verbintenis van het mystieke en het menselijke en daarom valt het onder de wetten van de natuur.

De leden van de heksenkring komen samen op een heilige plaats in de natuur die verborgen is voor andere mensen maar die toegankelijk is voor de hele bovenaardse wereld. Alle aanwezigen dragen mooie kleding en zijn versierd met bloemen, linten en bladeren (bijvoorbeeld met groene brem dat geluk en voorspoed brengt). De twee personen die verbonden zullen worden dragen witte gewaden als symbool voor reinheid. De vrouw draagt een krans van klimop en de man een krans van hulst. Dit symboliseert het vrouwelijke en het mannelijke geluk. Beiden hebben bovendien een ring als teken van hun liefde; de ring van de vrouw is zilverkleurig en die van de man goudkleurig.

Beiden dragen bovendien een broche op hun borst als symbool voor de reinheid van hun hart. Als het kan dragen ze ook rozemarijn, wijnruit en knoflook voor geluk en voorspoed.

Voordat de ceremonie begint wordt de plek waar de ceremonie wordt gehouden besprenkeld met gezegend zout. Daarna vegen de deelnemers met hun bezems de plek schoon zodat alle negatieve energie wordt verbannen. Vrienden en leden van de heksenkring geven elkaar de hand en vormen zo een cirkel rond de plaats waar de ceremonie plaatsvindt. Tijdens de ceremonie blijven ze staan waar ze nu staan. Als de cir-

kel eenmaal rond is, laten ze elkaars handen los. Het paar
staat in de cirkel, samen met een priesteres, een druïde en
een bard. In het midden van de cirkel is het altaar, versierd
met bloemen en witte kaarsen en een ketel met water in het
midden. Op de grond direct voor het altaar ligt de heilige
bezem van de priesteres.

De bard speelt op de harp, op de trommel en hij
luidt de bel. Hij celebreert de ceremonie, roept de
elementen op en vermaakt iedereen met zijn lie-
deren. De druïde herhaalt zachtjes de toverformules van geluk en liefde en loopt rond in de cirkel
terwijl hij de krachten stuurt. Hij begeleidt de ceremonie met zijn toverformules, houdt de kracht binnen de
cirkel, overziet de elementen en vermaakt iedereen met zijn
magie. De druïde representeert het goddelijke element maar
zijn belangrijkste taak is om de liefdes- en geluksformules
te verwerken in het ritueel. De priesteres, die een rood
gewaad draagt, leidt de ceremonie. Zij vertegenwoordigt de
Godin en verenigt het paar tijdens het ritueel.

Tijdens de hele ceremonie bieden de vrienden en de leden
van de heksenkring steun, liefde en hun magische geestes-
gaven. De magische bescherming van de cirkel wordt ook
gevormd door hun fysieke aanwezigheid.

De knoop

De ceremonie begint met het chanten (zachtjes zingen) van een spreuk. Eerst zacht, dan steeds harder:

> 'Gezegend zij de kracht van drie: priesteres, druïde en bard.
> Verbind!
> Breng de kracht van twee samen: maagd en man.
> Verbind!
> Geluk zal komen, de kracht van één: liefde zal deze dag bepalen.
> Verbind!
> Zo moet het zijn. – liefde in alles wat we zien en doen.
> Verbind!'

Daarna stapt de priesteres naar voren en neemt de linkerhand van de vrouw en de rechterhand van de man. Zij bindt de handen losjes aan elkaar met een wit, zijden koord en zegt: 'Bij de kracht van de Arcadiër, Isis (of Maria, of Anna) weeft haar reinheid om deze twee zielen heen en verbindt hen in deze wereld met dit zijden koord.' De bard luidt één keer de bel.

Dan bindt de priesteres een rood zijden koord
om de twee handen en zegt: 'Bij de kracht van
de Mater Familias, Hathor (of Maria, of Badb)
weeft haar kracht om deze zielen heen en verbindt hen in deze wereld met dit koord.' De bard
luidt voor de tweede keer de bel.

De priesteres neemt een zwart, zijden koord en bindt dit
losjes om de handen heen en zegt: 'Bij de kracht van de
Generatrix. Nephthys (of Maria, of Macha) weeft haar
wijsheid om deze zielen heen en verbindt hen in deze wereld
met dit koord.' De bard luidt voor de derde keer de bel.

Dan richt de priesteres zich tot de vrouw en zegt:
'(naam), kom je uit vrije wil om je met deze man te verbinden als zijn tweelingziel?'
De vrouw zegt: 'Ik kom uit vrije wil om
me te verbinden met deze man als zijn
tweelingziel.'

PRIESTERES: 'Ik vraag je nogmaals: [naam], kom je uit vrije
wil om je te verbinden met deze
man?'

VROUW: 'Ik kom uit vrije wil om me te verbinden met deze man.'

PRIESTERES: 'Ik vraag het je nog één keer: [naam], kom je uit vrije wil?'

VROUW: 'Ik ben hier uit vrije wil.'

De priesteres neemt de ketel en geeft hem aan de vrouw, die eruit drinkt. De priesteres zet hem terug op het altaar en richt zich nu tot de man.

PRIESTERES: '[naam], kom je uit vrije wil om je met deze vrouw te verbinden als haar tweelingziel?'

MAN: 'Ik kom uit vrije wil om me te verbinden met deze vrouw als haar tweelingziel.'

PRIESTERES: 'Ik vraag je nogmaals: [naam], kom je uit vrije wil om je te verbinden met deze vrouw?'

MAN: 'Ik kom uit vrije wil om me te verbinden met deze vrouw.'

PRIESTERES: 'Ik vraag het je nog één keer, [naam], kom je uit eigen vrije wil?'

MAN: 'Ik ben hier uit vrije wil.'

De priesteres geeft de ketel aan de man, die eruit drinkt. Ze zet hem terug op het altaar en drinkt er zelf uit, gevolgd door de druïde en de bard. Dan legt ze haar handen op de handen van het koppel en zegt: 'Zo moet het zijn. Iedereen die hier aanwezig is, wees getuige van deze rituelen: bij de kracht van de eerste androgyn, de kracht die Triformis aan deze tweelinggeest geschonken heeft. Moge dit moment opgemerkt worden in het paleis van Akasha en moge deze tweelingzielen één zijn zolang ze dat verlangen, gezegend door de Moeder en Vader en met de drievoudige kracht van drie, voor drie. Zo moet het zijn. Amen.' De bard luidt de klok nu drie keer.

Hierna worden de koorden losgemaakt en het koppel springt hand in hand over de bezem. De vrienden en leden van de heksenkring komen nu een voor een uit de cirkel en lopen naar het altaar. Daar dopen ze hun handen in het water en besprenkelen het paar terwijl ze een wens uitspreken. Dit is het begin van het feest. Hoe het verdergaat hangt af van de wensen van het koppel, maar meestal geeft men cadeaus en wordt er gedanst, gezongen, gegeten, gedronken en muziek gemaakt.

een bezem om overheen te springen

Het aanroepen van de maan

Dit ritueel wordt meestal 's nachts gehouden bij volle maan, maar als je de kracht van de Godin nodig hebt kan het ook op een ander moment. Het ritueel wordt uitgevoerd door de priesteres. Het doel is om de occulte en magnetische krachten van de maan uit te nodigen om in het lichaam van de priesteres te dalen zodat zij tijdelijk de Godin kan zijn. Als het ritueel goed wordt uitgevoerd, heeft de priesteres – die nu de Godin is in menselijke vorm – de beschikking over de magische krachten van de maan en de sterren. Hierdoor heeft zij esoterische en oude krachten tot haar beschikking waarmee ze haar magie kan uitvoeren. Net als de Godin kan zij niet meer dan drie toverformules tegelijk uitspreken.

Het aanroepen van de zon

Dit ritueel is de tegenhanger van 'het aanroepen van de maan'. Het is de mannelijke vorm waarbij de kracht en de strijdelementen van het leven en de dood vanuit de zon in de druïdenpriester dalen. De beste tijd om de zon aan te roepen, is tijdens de zomerzonnewende. De kracht van de zon is dan het

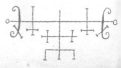

sterkst. Dit ritueel kan dus eigenlijk maar
één keer per jaar echt goed uitgevoerd worden.
De magie van de druïdenpriester – die tijdens
het ritueel de God wordt - wordt gebruikt in
tijden van oorlog en voor zaken die te maken
hebben met eer, integriteit en rechtvaardigheid.
(Aantekening: het aanroepen van de zon gaat
bijna hetzelfde als het aanroepen van de maan, alleen de
rollen zijn omgekeerd: de druïde is de belangrijkste persoon
en de heks is zijn dienaar. Als de druïdenpriester in het zonneritueel iets anders moet doen dan de vrouwelijke heks in
het maanritueel, dan staat dat hieronder tussen haakjes.)

Negen (zeven) dagen voor het ritueel

Eet negen dagen voordat je het ritueel wilt uitvoeren geen
vlees en mediteer dagelijks. Concentreer je op de vraag wat
je wilt doen en waarom je het wilt doen. (Onthoud je zeven
dagen voor het ritueel van seksueel contact, dan spaar je
energie en is je geest helder.)

Reinig je lichaam dagelijks met rozenolie en mirtewater.
Kies voor het ritueel nieuwe hulpmiddelen uit zoals de
toverstaf van hazelnotenhout (eikenhout) met stalen
(bronzen) uiteinden, een mes met een zwart handvat –

athame

athame – en een zilveren of witte (goudkleurige of gele) kaars. Zegen de hulpmiddelen en spreek een toverspreuk uit om hun krachten op te wekken. Zeg in je spreuk dat het je hogere doel is om de wereldlijke rol van de Godin (God) te vervullen en vraag om haar (zijn) zegeningen en om de bescherming van de Wachters van de torens.

Een dag voor het ritueel

Maak met kalk, zout of meel op de grond een cirkel binnen een cirkel. Teken in het midden van de twee cirkels een driehoek. Plaats rondom de binnenste cirkel een pentagram, een hexagram, een kleine kelk water, wierook van sandelhout, een stukje houtskool en de krachtnamen Atanehndeged, Elion, Alpha, Omega en Ideodamiach. Deze namen kun je met inkt op stukjes papier schrijven of met zout, meel of kalk op de grond. Neem een bad met mirtebladeren, trek een wit gewaad aan en bind een wit koord om je middel. Laat je haar los

gagel

en loop op blote voeten. Voor het ritueel is gezegende olie
nodig en een bel. (Olie kan gezegend worden door er een gebed
over uit te spreken. De meeste heksen maken hun eigen olie
door olijfolie te mengen met balsemien, honing, vanille of
kruidnagel.)

Als de druïde en de heksenpriesteres klaar zijn gaan ze in
de cirkel staan. De heksenpriesteres (de druïde) staat in de
driehoek en de druïde (priesteres) staat er net buiten met
zijn (haar) gezicht naar haar (hem) toe. Ter voorbereiding
haalt de heks rustig adem en begint de spreuken te zingen:
'Amor, Amator, Amides' ('Amor, Plaior, Amator'). Terwijl ze
dit doet bewegen de leden van de heksenkring om de rand
van de binnenste cirkel rustig heen en weer. Ze klappen
zachtjes in hun handen en stampen op de grond. De druïde
neemt de gezegende olie en zalft de priesteres zeven keer:
eenmaal op het derde oog, terwijl hij zegt: 'Kracht van de
Maan, kracht van de Zon'; eenmaal op elke schouder,
terwijl hij zegt: 'Kracht van Mars, kracht van Saturnus';
eenmaal op elke borst, terwijl hij zegt: 'Kracht van de Zon
(Maan), kracht van Venus' en eenmaal op beide polsen,
terwijl hij zegt: 'Kracht van Jupiter, kracht van
Mercurius.' Als de druïde klaar is, zingt ('chant') hij drie
keer een aantal zinnen. De groep neemt dit telkens van

hem over en terwijl ze dit doen klappen en stampen en zingen ze steeds harder. De druïde zegt: 'Abba, Abraxas, Elion' ('Escerchie, On, Adonai'), en luidt dan één keer de bel. De heksenpriesteres houdt haar armen in de lucht en zegt: 'Almachtige vrouw, een en al liefde, geef uw hemelse magie. Ik roep de maan aan. Laat de kracht in mij dalen. Wij zijn één, gij zijt mij, ik ben u.' ('Allerhoogste God, krijgsheer, beschermheer van de vrede. Ik roep de zon aan. Laat de kracht in mij dalen. Wij zijn één, gij zijt mij, ik ben u.') De druïde luidt weer eenmaal de bel.

De heks vervolgt: 'Ik die nu alles ben, ik sta voor u. Mijn hoofd reikt tot aan het licht. Ik ben de oorsprong van alles, mijn lichaam omarmt alles wat leeft. Ik ben de Stille, geboren op de wind, mijn tenen reiken naar de donkere slaap. Aanschouw Sige-Triformis, ik ben licht, ik ben liefde, ik ben Haar. Agla Ata nehen deged. Amen.' ('Ik die nu eeuwig is, ik sta voor u. Mijn hoofd reikt tot aan het licht. Ik ben nu het vuur van alles, mijn lichaam omarmt alles wat leeft. Ik ben de grote stem, geboren op de wind. Mijn tenen reiken naar de donkere

slaap. Aanschouw Adonai-Actaeon, ik ben licht, ik ben
liefde, ik ben Hem. Agla Ata nehen deged. Amen.') De leden
van de heksenkring herhalen 'Amen' en de druïde luidt voor
de derde keer de bel en zegt: 'Het is gebeurd.' Allen roepen:
'Het is gebeurd!' De Godin kan nu in de magische cirkel drie
toverformules uitspreken en de druïde en de andere heksen
helpen haar.

Het afsluiten van het ritueel

Voordat de cirkel wordt opgeheven en aan het eind van het
ritueel, knielt de Godin in de driehoek. Met beide handen
drukt ze zachtjes op de grond. De kring gaat langzaam
naar achteren en iedereen stampt en klapt zachtjes terwijl
men langzaam tegen de klok in (widdershins) om de rand
van de cirkel beweegt. De druïde sprenkelt gezegend water
over het hoofd van de Godin en zegt: 'Wij nemen afscheid in
vrede, Hemelse Vrouwe, heiligste Godin en alles wat liefde is,
tot wij elkaar weer ontmoeten. Amen.' ('Wij nemen
afscheid in vrede, Almachtig Heerser, Allerhoogste God en
alles wat bovenaards is, tot wij elkaar weer ontmoeten.
Amen.') De druïde maakt nu het teken van het pentakel

boven het hoofd van de Godin en zij herhaalt: 'Wij nemen afscheid in vrede totdat wij elkaar weer ontmoeten. Ik geef deze heks terug aan haar heilige lichaam en aan u allen, aanwezig in de naam van de liefde. Amen.' ('Wij nemen afscheid in vrede totdat wij elkaar weer ontmoeten. Ik geef deze druïde weer aan zijn heilige lichaam en aan u allen, aanwezig in de naam van de liefde. Amen.')

Op dit moment kan men een alternatief zeggen voor het 'Onze Vader': 'Onze Moeder die in de hemelen zijt...' (Bij het zonneritueel zegt men gewoon het 'Onze vader': 'Onze Vader die in de hemelen zijt...') Daarna wordt de cirkel opgeheven en is het tijd voor ontspanning en vermaak.

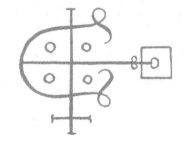

De grote rite

Het verhaal van dit ritueel, dat ook bekend staat als 'Banais Rigi' of 'het Koninklijk huwelijk', gaat over de heersende koning of de opperdruïde die naar de Godin gaat om samen met haar voor de vruchtbare aarde te zorgen. De heersende koning of opperdruïde neemt tijdens de ceremonie de

opperdruïde

kroon van klimop

fysieke gedaante aan van
de god Actaeon in de ver-
schijningsvorm van de
Hertenbok-koning. Tijdens
het ritueel wordt hij de God.
Hij heeft een gewei op zijn
hoofd en is naakt, op een stuk leer rond zijn heupen na.
Zijn gezicht en lichaam zijn beschilderd met heilige tekens.
De heks die is uitgekozen om tijdens het ritueel de Godin te
zijn, is heel mooi aangekleed, met een transparante sluier
voor haar gezicht en een kroon van klimop op haar hoofd.

Het bijzondere van hun ontmoeting is dat het feitelijke
moment waarop zij één worden heilig blijft. De druïde en de
heks moeten voor dit ritueel de kracht van de andere wereld
ervaren en gebruiken. Als er op enig moment tijdens het
ritueel menselijke lust ontstaat, is de magie verbroken en
zal het ritueel niet werken. De grote rite is een van de
oudste en krachtigste rituelen en moet als het heiligste
ritueel van de druïden en de heksen worden beschouwd.

De grote rite wordt traditioneel tijdens de sabbats en de
esbats gehouden maar bij nood of gevaar kan het ook op een
ander moment. De kracht die door de mystieke vereniging
ontstaat, kan worden aangewend voor het goede.

Afhankelijk van wat de leden van de heksenkring en van de stam willen, kan de vereniging echt plaatsvinden of alleen symbolisch. In beide gevallen moet benadrukt worden dat het een heilige en devote vereniging is die als doel heeft de fundamentele magische kracht op te roepen om de wereld te helpen. Seksuele magie wordt beschouwd als zeer heilig en krachtig en moet alleen uitgevoerd worden als men elkaar kent en volledig vertrouwd en als men het spirituele doel echt begrijpt. De magnetische energie die ontstaat tussen de twee personen die dit ritueel uitvoeren, maakt hen tot vertrouwelingen van de magische energie en dat kan gebruikt worden voor het goede.

Voorafgaand aan de grote rite viert men feest om de elementaire krachten aan te wakkeren en deze krachten om te zetten in magnetische energie. Op die manier wordt de omgeving voorbereid op de hogere magische krachten. De heksengodin en de druïdenkoning zitten apart van elkaar maar ze moeten elkaar wel kunnen zien. Dit is belangrijk want tijdens de feestelijke voorbereidingen ontstaat er tussen hen een krachtige stroom magnetische energie die tot ontlading komt als ze uiteindelijk samenkomen. De feestelijkheden om hen heen versterken de energie die nodig is voor die bijzondere en bovenaardse verbintenis.

het feest voorafgaand aan de grote rite

De voorbereidingen van het feest kunnen beginnen vanaf twaalf uur 's middags op de dag dat het ritueel plaatsvindt. Men zoekt eerst een geschikte plek in een houten gebouw of in de natuur. Als het ritueel buiten plaatsvindt, wordt de plek vrijgemaakt. Dan maakt men een cirkel van stenen of houtblokken. De cirkel blijft aan de oostzijde open als doorgang, maar er wordt één steen of houtblok apart gehouden om de doorgang later te kunnen sluiten. In de cirkel worden houten of stenen tafels en stoelen neergezet. Voor de heksengodin zet men een kleine tafel aan de noordkant en voor de druidenkoning zet men een kleine tafel aan de zuidkant. Aan de westkant staat een klein versierd altaar met een kelk rode wijn, het athame van de heks en een rode kaars. Voor de decoratie kun je rozen, klimop, hulst en maretakken gebruiken. Als je wilt kun je een eend of een gans braden aan het spit. Er moet er in elk geval een vuur gemaakt worden binnen de cirkel, of je dat nu gebruikt om eten te bereiden of niet.

Het eten en drinken wordt uitgezocht door de heksen. Gebruikelijke dranken zijn water, bier, gerstewijn, rode wijn, honingwijn, cider en champagne van vlierbloemen. Als eten kun je kip nemen, gans, eend, varken, brood, aardappels, linzen, uien, prei, pompoenen, oesters, zalm, verse kruiden, eieren, dadels, appels, perziken, grapefruits, aardbeien en pruimen.

Het ritueel

Iedereen gaat de cirkel binnen. De heks die is uitgekozen om de Godin te zijn gaat met haar twee begeleiders aan haar tafel zitten. De druïde die is uitgekozen om de Hertenbok-koning te zijn gaat met zijn twee begeleiders aan zijn tafel zitten. De overige leden van de heksenkring en de stam, waaronder ook muzikanten en barden, maken plezier en vieren feest. Precies om middernacht blaast een van de begeleiders van de druïdenkoning drie maal op de hoorn en de andere begeleider neemt de kelk met wijn. De twee begeleiders van de heksengodin pakken het magische mes. Iedereen is nu stil. De leden en gasten verlaten de cirkel en sluiten hem af met de steen of het houtblok.

heilige kelk

De druïdenkoning loopt naar de heksengodin en heft de kelk met wijn. Hij zegt: 'Ik ben de Hertenbok-koning die over de aarde zwerft en ik ben gekomen, grote Godin, om u te aanbidden met mijn lichaam, en terwijl ik dit doe geef ik leven aan de vlammen van de Zonnegod.'

De Godin buigt haar hoofd, tilt haar sluier op, doopt haar athame in de wijnkelk en zegt: 'Ik ben de grote Godin en ik herken u. Mijn lichaam is het altaar waarop de goddelijke vlammen kunnen leven, en deze gezegende eenwording weerspiegelt de heilige eenwording van de twee werelden. Zo moet het zijn.'

Als men alleen de symbolische eenwording van het athame en de kelk uitvoert, kan de grote rite op dit punt beëindigd worden. De rite is afgelopen als beiden uit de kelk hebben gedronken en elkaar een kus hebben gegeven. Er kunnen nu toverformules gezegd worden met of zonder de andere leden in de cirkel.

Als men echter seksuele magie wil oproepen, dan gaat de rite als volgt verder: de Godin wordt uitgekleed en krijgt de kelk om uit te drinken. Ze geeft de kelk terug aan de Hertenbok-koning zodat hij eruit kan drinken en samen drinken ze de kelk leeg. Dan geeft de druïde de vijfvoudige kus: een op elke borst, een op de navel en een op elke dij. Het aanbidden van het lichaam gaat verder zoals het paar dat wil en eindigt in de daad van liefde – de heilige vereniging van de mannelijke en de vrouwelijke tegenpolen die extreem magische krachten veroorzaakt. De magie die men wil uitvoeren kan op dit moment beginnen.

Bezweringsformules en hulpmiddelen
Bezweringsformules

Soms duurt het even voordat magie werkt en soms werkt het meteen. Het hangt af van de ingrediënten die je gebruikt en de kracht die je oproept. Als je magie gebruikt, onthoud dan dat je na een ritueel gewoon verder moet gaan met je leven, wetende dat de uitwerking onderweg is.

Lees voordat je aan de slag gaat deze formules goed door zodat je er vertrouwd mee raakt en weet wat je nodig hebt.

i. Ongeluk verdrijven

Knoflook kan negatieve krachten opnemen. Je kunt teentjes knoflook om het huis neerleggen of in een zakje bij je dragen. Als de knoflook eenmaal gebruikt is moet je het teruggeven aan

de kracht van knoflook

de elementen, liefst aan het water. Weet dat je je eigen ongeluk kunt creëren door je eraan vast te klampen als het op je pad komt. Je kunt het ook gewoon voorbij laten gaan.

Om ongeluk te verdrijven neem je een witte zijden doek. Teken er een pentakel op met je naam in het midden. Steek een rode kaars aan en zet een ketel met water neer. Ga met blote voeten op de zijden doek staan en hou de knoflook bij je derde oog (tussen je wenkbrauwen). Steek je rechterhand hoog in de lucht en roep de kracht aan door te zeggen:

'Met de heilige kracht van drie maal drie
Verjaag ik het ongeluk naar deze doek en dit water
Het slechte houdt op met leven

Dit is mijn wil en zo zal het zijn
Grote Godin geef mij uw zegen.'

Visualiseer nu hoe al het slechte in de knoflook
verdwijnt. Neem de doek en wikkel die om de
knoflook heen tot een bal. Gooi de bal dan met
alle kracht die je in je hebt in de ketel met
water en schreeuw zo hard als je kunt:

'ONGELUK, VERDWIJN!'

Neem de kaars en doof haar in het water.
Schreeuw nu weer:

'ONGELUK, VERDWIJN!'

Breng nu de ketel met inhoud naar buiten en smijt hem op
de grond terwijl je voor de derde keer schreeuwt:

'ONGELUK, VERDWIJN!'

Het magische werk is nu verricht. Haal diep adem en weet
dat het geluk onderweg is.

ii. Een nieuw huis inwijden

De beste periode om te verhuizen is tijdens de wassende
maan. Neem een brokje houtskool en wat zout om het
geluk in je nieuwe huis te verwelkomen. Ga in de deurope-
ning staan met je gezicht naar buiten gericht en gooi het
kooltje en het zout over je linkerschouder naar binnen en
zeg:

> 'Zout en kool in de keuken,
> Liefde en eerlijkheid in het huis
> Laat geluk en harmonie zweven
> op de plaats waar wij nu leven.'

Laat het zout en het kooltje liggen totdat de maan begint
te krimpen of tot de eerstvolgende keer dat je het huis
schoonmaakt.

iii. Een nieuw huis beschermen

Sprenkel tijdens volle maan de inhoud van vijf bekers bier
rond de buitenmuren van je nieuwe huis om het te beschermen tegen negatieve krachten. Zet bovendien een pot gele
narcissenbollen bij de voordeur.

iv. Blikseminslag voorkomen

Neem een eikenblad, een tak van een varen of de schors van een vlierbes. Teken drie zigzaglijnen op het blad of de schors (met de varen hoef je niets te doen omdat de randen al gekarteld zijn). Neem nu zes stappen vanaf de voordeur richting het zuiden en begraaf het blad of de schors op die plek. Fluister nu:

'Meidoorn of varen,
vlierbes of eik
Leid de bliksem
naar uw rijk.'

v. Verkoudheid en griep bestrijden

Maak op de eerste dag thee van tijm, honing en kokend water. Neem diezelfde dag en de zes dagen daarna drie keer per dag een eetlepel thee. Op de tweede dag doe je bovendien gedroogde lavendel in je schoenen. Laat de lavendel vijf dagen in je schoenen zitten. Op de derde dag rasp je een teen knoflook boven een vierkant stuk kaasdoek. Maak hier een zakje van en draag dit de volgende vier dagen om je nek. Op de laatste (zevende) dag zeg je om 12 uur 's middags deze spreuk:

'Tijm en honing,
geef mij uw heilzame kracht.
Lavendel en look,
bescherm mij dag en nacht.'

vi. Rimpels tegengaan

Zet een ketel met geschilde en uitge-
boorde appels op een laag vuur. Doe er
vijf verse aardbeien bij en roer dit
met wat water tot een zachte pasta. Bewaar dit op een donkere koele plaats. Ga gedurende negen dagen 's ochtends
vroeg naar buiten en verzamel precies negen dauwdruppels
en doe die bij de pasta. Verdeel onmiddellijk daarna de pasta
over negen bekers of kommetjes. Smeer elke morgen gedurende negen dagen de pasta als een crème op je gezicht en laat
het er 20 minuten op zitten. (Als het kan, gebruik dan een
takje verse rozemarijn om de pasta op je gezicht aan te
brengen – de rozemarijn moet wel vers zijn want de blaad-
jes van gedroogde rozemarijn zijn te hard.) Was je gezicht
schoon met warm water en een beetje citroensap. Het effect
zal snel zichtbaar zijn.

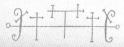

vii. Kwade personen verjagen

Teken een pentakel of pentagram op een
afbeelding van de persoon tegen wie je deze
bezwering wilt richten en zeg:

'In de heilige naam van Sige, zij die hoger is dan alles
en allen, en met de kracht van de godin Triformis in
mij, verjaag ik al het Ignis Fatuus en op hen plaats ik
het heilige teken van het pentakel, opdat zij vastgeke-
tend zijn als met touwen en kettingen. Ik verjaag dit
kwaad naar de onderwereld opdat het deze dochter van
de Godin nooit meer kan raken. Zo zal het zijn. Amen.'

viii. Verbreken van een bezwering

Als je weet wat of wie je wilt stoppen,
maak dan een pop die daarop lijkt. Weet
je dat niet, maak dan een pop van wit
katoen en wit garen. Vul de pop in beide
gevallen met distelbladeren en een stukje
maretak als je dat kunt vinden. Maak

de bloem van de distel vast aan het hoofd en strooi nu een flinke hoeveelheid rode peper over de pop. Zeg dan:

'Gezegende distel met al uw kracht,
verbreek deze bezwering.
Gezegende maretak met al uw kracht,
verbreek deze bezwering.
Rode peper van het vuur,
verbreek deze vloek.
Amen.'

ix. Luidruchtige buren tot stilte manen

Ga bij krimpende maan aan een tafel zitten en leg de volgende ingrediënten neer:

Tegenover je:	laurierblad en lavendelolie
Direct voor je:	een zwarte kaars
Aan de rechterkant:	een wierookstokje van sandelhout
Aan de linkerkant:	een glaasje water
In het midden:	een mok met wat azijn erin.

Steek de kaars en de wierook aan. Schrijf op het laurierblad de naam, geboortedatum en het adres van je buren. Haal het blad door de rook van de wierook, hou het blad in de vlam van de kaars en gooi het brandende blad in de azijn, en zeg:

'Verdwijn, verdwijn, verdwijn.'

Voeg drie druppels lavendelolie bij het water en zeg: 'Verdwijn, verdwijn, verdwijn!' Schenk het lavendelwater in de mok met azijn. Terwijl de wierook opbrandt, visualiseer je hoe de drukke buren rustig worden of vertrekken. Als je klaar bent zorg je dat niemand je ziet en giet je de mok leeg voor het huis van de buren. Zeg: 'Geluid en overlast verdwijn, zo wil ik het en zo zal het zijn.' Wacht nu rustig tot de magie gaat werken.

x. Talisman voor de liefde

Doe drie druppels knoflookolie op een rozenknop en wikkel die in de schil van een avocado. Maak het vast met een tandenstoker of een touwtje en leg het onder je bed. Liefde is onderweg.

xi. Dromen over je geliefde

Neem een naald en prik voorzichtig de naam van degene die je lief hebt in een appel. Als je de naam niet weet, gebruik dan het woord 'geliefde'. Leg de appel onder je kussen. Neem nu een laurierblad en een rozemarijntakje en verbrand deze in de vlam van een rode kaars. Doe de resten in je ketel terwijl je denkt aan degene van wie je houdt. Ga direct naar bed en je geliefde zal je in je droom bezoeken.

xii. Uiterlijk schoon

Iedereen is het erover eens dat je er goed en gezond uit kan zien als je gezond eet, veel vers water drinkt en regelmatig beweegt. Maar soms ontbreekt het je net even aan wilskracht en dan kan je de hulp van een toverformule gebruiken.

Steek een witte kaars aan en brand olie of wierook van citroenmelisse. Hou een verse roos in je linkerhand. Concentreer je nu, sluit je ogen en zie voor je hoe je lichaam een gezonde uitstraling krijgt en hoe je er mooier uitziet dan ooit tevoren. Haal diep adem en inhaleer de geur van de roos

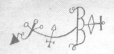

en de citroenmelisse. Open nu je ogen, kijk in de vlam van de kaars en zeg:

'Ik ben prachtig.'

Sluit je ogen en herhaal deze oefening nog twee keer. Doof dan de kaars en zeg:

'Zo wil ik het en zo zal het zijn.'

Als je er extra mooi uit wilt zien (en je besluit bijvoorbeeld dat je een dieet gaat volgen, naar de kapper gaat of gaat sporten) zorg dan dat je wat rozen en citroenmelissebalsem of -olie bij je hebt. Als je overwicht wilt voorkomen, bewaar de rozen en de citroenmelisseolie dan in de keuken. Wil je je uiterlijk veranderen, bewaar het dan bij je kleding en je verzorgingsproducten, enzovoort. Elke keer dat je de geur van citroenmelisse en rozen ruikt, wordt je gestimuleerd om je aan je voornemens te houden.

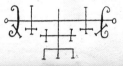

xiii. Geld – tomaat

Leg een grote tomaat bij het vuur of de kachel als een geschenk aan de aardgeest. Laat de tomaat vijf dagen liggen en begraaf hem dan in de aarde.

xiv. Geld – blauwe iris

Draag de gedroogde bladeren en wortels van een blauwe iris in je tas en je bezit zal toenemen.

xv. Geld – kaars

Brand een goudkleurige kaars en hou er een zilveren munt voor totdat de kaars is opgebrand of uitgaat. Leg de munt nu in het zachte kaarsvet en laat het afkoelen. Stop het in een klein groen zakje en draag dit bij je. Waar je ook gaat, het geld zal naar je toekomen.

xvi. Geld – papaverzaad

Neem de knop van een gedroogde papaver en beschilder die met goudkleurige verf. Laat de verf drogen en bewaar de knop in je zak.

xvii. De schepping zien

Dit is een zeer oude toverformule die bekend is in esoterische kringen en die ik hier heb opgeschreven zodat jou magische kracht kan toenemen. Het moment van Siges schepping ligt altijd verborgen in het hart van elke heks. Er komt echter een moment waarop dat scheppingswonder van essentieel belang is voor de ontwikkeling van de heks. Met deze toverspreuk kun je dat moment oproepen.

Vang in twintig bekers ongeveer vijf liter regenwater op en bewaar dat tien dagen in een afgesloten glazen kom. Je merkt dat zich op de bodem een bezinksel vormt. Neem als je gaat beginnen verschillende kaarsen, je kristallen bol, je magische toverstaf, gezegende wijn en de kom met regenwater. Draag een krans van klimop in je haar en maak op een geheime plek een cirkel van kaarsen in de grond. Hou de kristallen bol in je linkerhand en je toverstaf in je rechter en verwelkom de Wachter van de torens en de kracht van de Godin. Zeg nu:

'Vrouwe Sige, de Enige, de Godin,
Laat mij de heilige kracht zien vanaf het begin,
Hoe op uw teken van liefde de schepping begon

En hoe uit uw kracht elk leven ontsprong.
O almachtige Godin,
Moeder van alles en allen,
Vertel mij het verhaal van de zon en de
    maan
En laat me zien hoe alles uit u is ontstaan.
Neem me mee naar de dag en de nacht
En laat me nu zien hoe u alles heeft vol-
    bracht.'

Leg de kristallen bol en je toverstaf neer om
te beginnen met je magische werk. Schenk
eenderde van het regenwater in je ketel
maar zorg ervoor dat het bezinksel in de
kom achterblijft. Zet de ketel nu in het
zonlicht in de cirkel.

Laat één druppel gezegende wijn in het water
vallen. Op dit moment ontstaat er een vage donkere vlek op
het water. Laat nu nog twee druppels wijn in het water
vallen en je zult zien dat uit de donkerte het licht
ontstaat. Laat nu precies om het kwartier heel voorzichtig
een aantal druppels in het water vallen: eerst drie, dan vier,
dan vijf en tot slot zes.

Je zult zelf zien hoe na elke druppel het ene beeld na het andere verschijnt. Dit zijn de beelden die verklaren hoe alles is ontstaan uit de godin Sige; hoe de schepping plaatsvond. De beelden zullen een half uur nadat ze zijn ontstaan vervagen en als ze zijn verdwenen is het moment van de magie voorbij.

Nadat je de Godin bedankt en geëerd hebt, neem je afscheid van de geesten om je heen en beëindig je de magische cirkel door de kaarsen te doven. Berg je hulpmiddelen met zorg op zodat niemand ze kan vinden en zodat ze rein zijn voor de volgende keer. Gezegend zij de heks die deze wonderbaarlijke ervaring mag meemaken. Je bent nu een stuk dichterbij het licht.

xviii. Talisman voor een succesvolle rechtszaak

Schrijf met zwarte inkt de naam van Imhotep (de Egyptische beschermheilige van de schrijvers) op een stukje wit rijstpapier. Teken er met rode inkt een veer bij (het symbool van Maat, de Egyptische godin van rechtvaardigheid) en schrijf hieronder met groene inkt je eigen naam. Scheur het papiertje nu in drieën. Bewaar één snipper in je schoen, begraaf één snipper in de tuin en leg één snipper tussen de papieren van de rechtszaak. Zolang je niets met opzet verkeerd hebt gedaan, zullen de krachten van het oude Egypte je bijstaan. Neem na de goede afloop van de zaak de twee snippers mee naar de tuin en verbrand ze met de derde snipper. Offer chocolade, wijn of tabak op de plaats waar je de as van de snippers begraaft.

xix. Een veilige reis

Maak een punt aan een wilgentak en teken in de aarde een afbeelding van ongeveer 30 cm breed die te maken heeft met je reis. Teken bijvoorbeeld een paard of een kar als je op die manier gaat reizen of bijvoorbeeld een afbeelding van iemand die loopt. Maak met de wilgentak de omtrek van de afbeelding dieper en giet er een mengsel in van karwijzaad, de as van wierook, gezegend water (van je altaar of een andere heilige plek), en drie druppels speeksel. Ga nu voor de afbeelding zitten en volg met de wilgentak negen keer de omtrek. Bid terwijl je dit doet voor een veilige en gelukkige reis.

xx. Een goed sollicitatiegesprek

Schrijf op een stukje papier het volgende:

A
BR
ACA
DABRA

Schrijf op de achterkant van ditzelfde stukje papier:

ALMANAH
L
AALBEHA
N
AREHAIL
H

Draag deze talisman op je lichaam als je naar het sollicitatiegesprek gaat en raak hem even aan als je voelt dat het
gesprek niet gaat zoals jij wilt of als je onzeker bent. Je zult
zien dat de magische kracht van het papier je steun geeft.

Hulpmiddelen

Om magisch werk te kunnen doen is het goed om je eigen verzameling magische hulpmiddelen te hebben. De spullen die
hieronder worden beschreven worden het meest gebruikt.

Altaardoek: Markeert een
heilige plek als je buiten
bent of op reis. De altaardoek
wordt het altaar en maakt de
plaats waar je hem neerlegt
heilig. Meestal is de doek
zwart maar hij kan ook
rood, wit of blauw zijn.

Athame: Een bot mes
met een zwart
handvat om rituele
doorgangen te
maken en om zout
en water te zegenen.

Bezem: Om het negatieve
weg te vegen, te vliegen
en voor magisch werk.
Gemaakt van een eik,
wilg of een es met takken
van lijster, berk, wilg,
hazelnotenboom of stro.

Cakejes: Voor het wicca-huwelijk en voor rituelen met de bovenaardse familie.

Kaarsen: Vertegenwoordigen het element vuur. Kleuren hebben verschillende betekenissen. Door een stukje papier of blaadje met daarop een wens in de vlam te houden, stuur je de wens naar de andere wereld.

Heksenketel: Het heilige symbool van de moeder. De baarmoeder waar alles uit herboren wordt. De onuitputtelijke bron van eten. Het symbool van het vrouwelijke aspect van de vruchtbaarheid (yoni).

Kelk met water: Vertegenwoordigt het element water. De kelk wordt gebruikt om uit te drinken en om het gezegende water in te bewaren.

Graanpop: Een pop gemaakt van gedroogde graanhalmen. De pop wordt in huis opgehangen om het te beschermen en om voorspoed te brengen. De graanpop wordt tijdens ostara opgehangen en tijdens de volgende ostara teruggegeven aan de aarde en vervangen door een nieuwe.

Kristallen: Worden gebruikt voor magie, communicatie en geneeskracht.

Bokaal met wijn: Wordt gebruikt bij het wicca-huwelijk en bij elk ritueel waarbij contact wordt gemaakt met leden van de bovenaardse familie.

Wierook: Vertegenwoordigt het element lucht. De uitwerking hangt af van de geur. Magische wierook is een combinatie van patchoeli, mirre, kaneel, muskus, hars, jasmijn en sandelhout.

Kruiden: Voor geneeskracht, magie en tovenarij.

Toverstaf: Vertegenwoordigt de elementen lucht of vuur. De kracht hangt af van de regelmaat waarmee hij gebruikt wordt en hoe hij versierd is. De staf verbindt jou met het bovenaardse.

Oliën: Worden gebruikt voor toverformules. Voor een goede altaarolie meng je olijfolie met muntbladeren, marjolein en tijm. Verwarm dit langzaam op het vuur. Laat het dan 24 uur staan. Maak het zeven keer opnieuw warm en voeg steeds verse kruiden toe tot de olie donker is en een sterke geur heeft.

Pop: Een pop die lijkt op iemand of iets. Wordt op een positieve manier gebruikt.

Staaf: Een stok met een gesplitst uiteinde die wordt gebruikt als buitenaltaar en als een beschermend magisch middel. Bevat magische kracht.

Stenen: Vertegenwoordigen het element aarde. Magische stenen kun je op je altaar neerleggen om energie op te nemen. Heksenstenen met een gat erin, kun je om je nek hangen en grote stenen kunnen gebruikt worden bij rituelen.

Witte dolk: Het botte mes met het witte handvat van de heks. Wordt gebruikt bij rituelen en voor het afsnijden van kruiden en planten (vraag hardop hun toestemming voordat je ze afsnijdt).

Geheimen en mythen

Elke actie heeft een direct gevolg dat weer een andere actie teweegbrengt. Heksen passen ervoor om slechte dingen te veroorzaken alleen al omdat je jezelf beschadigt als je een ander pijn wilt doen – en het is nog erger, want met elke vorm van kwaad die je tot een ander richt beschadig je jezelf dubbel. De verklaring hiervoor is dat negatieve zaken altijd teruggeworpen worden naar de afzender en onderweg in kracht toenemen. Het kwaad zal de zender dus altijd meer beschadigen dan de ontvanger.

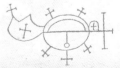

De hemelse route van het kwaad

Als iets negatiefs de kans krijgt om te groeien, dan krijgt het kwaad die kans ook. Dit zal doorgaan totdat het kwaad zo groot is dat het zichzelf en zijn drager (de zender) vernietigt. Soms duurt het lang voordat iets slechts teruggestuurd wordt naar de zender en hierdoor lijkt het misschien of iemand 'wegkomt' met wat hij gedaan heeft. Elke heks kan je echter vertellen dat dit schijn is en dat het effect uiteindelijk zal komen en de bron zal vernietigen. Omgekeerd is het ook zo dat wie goed doet en positief tegenover de wereld staat, het goede in tweevoud terugkrijgt.

Waak voor blinde hebzucht. Hoe meer je iets verlangt zonder er goed over na te denken, hoe meer ruimte er is voor negatieve energie en hoe meer je eronder lijdt dat je het niet hebt. De pijn die je ondervindt omdat je niet in staat bent iets te bereiken, is vergelijkbaar met de kwelling van honger. De negatieve energie zal groeien totdat je niet eens meer weet waar je naar verlangde. Als je je verlangen opzij kunt zetten, zal je zien dat dat wat je verlangde vanzelf op je pad komt. Het kan ook zijn dat je erachter komt dat je het nooit echt verlangd hebt.

verlangen
ontrolt
zich als
een varen

Door ervan overtuigd te zijn dat jou wil uitkomt, zul je slagen. Dit is iets anders dan blind verlangen. Wilskracht is het belangrijkste geheim achter toverformules. Het is de kracht van de Godin in jou; jouw goddelijke wilskracht zorgt ervoor dat een spreuk uitkomt.

Elke toverspreuk vraagt zijn eigen tijd. Toverformules kunnen direct werken maar het kan ook maanden duren. Twijfel nooit aan wat je gedaan hebt – dat zal het proces alleen maar vertragen.

Heksenkennis

Hier volgen puntsgewijs de grondgedachten en principes die de meeste heksen aanhangen:
1. Liefde en medeleven zijn de drijfveren van alles wat een heks doet.
2. Dat wat boven schijnt wordt beneden gereflecteerd.
3. Fir-Fer (integerheid). Zolang je niemand kwaad doet, kun je met magie doen wat je wilt. Goede magie is oneindig.
4. Zo wil ik het en zo zal het zijn – de absolute wil waar de magie haar kracht aan ontleent.

aan het altaar   een toverformule

5. Wet van de waarheid – waarheid is een scheppende
kracht. Een leugen maakt altijd iets kapot.

6. Vasten – iemand die iets verkeerd heeft gedaan, kan
gedwongen worden om boete te doen door zeven dagen alleen
op water en brood te leven. Als hij dat niet wil, kan hij de
aanklager ook een eervol geschenk aanbieden en zijn fou-
ten erkennen.

7. Taboe of Gessa – een verbod. Als een Gessa over iemand is
uitgesproken kan dat niet herroepen worden. Eerverlies is

iets verschrikkelijks en de neergang van een persoon zal bereikt worden met spot en satire.

8. Wat heb je aan goud zonder de zon, wat heb je aan zilver zonder de regen?

9. De kracht van negen – in het magische tijdsmoment van negen (9 uur, 9 dagen, 9 jaren) kan alles gebeuren.

10. Voorbereiding, reinheid, invocatie.

11. Consecratie, meditatie, trance.

12. Wierook, dansen, bewustzijn.

13. De grote rite – Banais Rigi – Konink-lijk huwelijk: In de eenwording van de Hertenbok-koning en de Godin ontstaat levende magie.

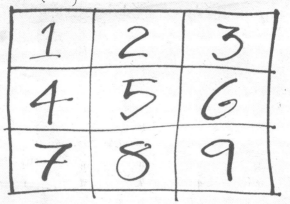

Het Akasha-archief

Het Akahsa-archief is een verzameling tijds-momenten die opgeschreven zijn in de bovenwereld en die bewaard worden in de grote zaal van Kennis. Dit is een plaats waar heksen heen kunnen gaan om antwoorden op hun vragen te vinden en om geesten uit het verle-den te ontmoeten. Ze kunnen er bovendien meer te weten komen over hun mystieke voorgeschiedenis. Alle antwoorden op alle vragen worden bewaard in het grote paleis van Akas-ha, een schitterende plaats vol geestelijk licht.

Het is niet makkelijk om het paleis van Akasha te berei-ken, maar als je echt zoekt zal het lukken. Vele wegen lei-den naar het paleis. Sommige heksen komen er via de astrale route, anderen via meditatie of scrying. Uiteindelijk gaat het erom dat jij je eigen weg volgt. Wat je in het paleis zult leren, zal je hele leven veranderen. Als je besluit om deze nieuwe kennis te gebruiken, weet dan dat er op dat moment een nieuw boek geopend wordt in de grote zaal met jouw naam erop. Denk dus goed na voordat je iets doet, want op een dag zal iemand jouw boek lezen.

Terwijl je door de marmeren gangen van het paleis loopt, zie je misschien kamers die weer naar andere kamers leiden en je kunt andere reizigers tegenkomen. Als deze ervaring je op een gegeven moment teveel wordt, bedenk dan dat er altijd wachters en beschermers in de buurt zijn die je de weg terug kunnen wijzen. Deze helpers zullen blij zijn als ze je van dienst kunnen zijn en zij kunnen je wegen laten zien die je nog niet waren opgevallen. De wachters en beschermers in het paleis van Akasha zijn dichters en zij kunnen alle deuren voor je openen.

De hoofdingang ziet er voor elke heks anders uit. Sommigen zien een grote, rechthoekige marmeren steen, anderen zien een grote deur van ebbenhout en goud en weer anderen zien een heel klein houten deurtje dat je makkelijk kunt missen. Wat jij ook ziet, je moet de deur eerst kunnen openen. Als dat gelukt is, ontvouwt het universum zich voor je zoals het was, zoals het is en zoals het zal zijn. Het is er voor jou en voor jouw vragen.

Behalve boeken en kennis, kun je in het paleis van Akasha geheime kamers vinden die je kunt gebruiken voor genees-

krachtige meditatie, tovenarij
en magie. Deze kamers zijn
beschermde krachtplaatsen
waar niemand je zal sto-
ren en waar de krachten
verzameld zijn. Ze bevat-
ten immense magische
mogelijkheden. Om in deze

kamers te komen moet je eerst een verzoek indienen waarin
je uitlegt waarom je naar deze magische plaats wilt gaan.
Als je verzoek wordt ingewilligd, krijg je bericht en een
beschermer zal je bij je eerstvolgende bezoek begeleiden. Geen
enkele heks haalt het in haar hoofd om dit bezoek te gebruiken voor iets anders dan wat ze in haar verzoek als reden
heeft aangegeven. Als je dit toch doet, zal dit als een zware
steen om je nek hangen zodra je de kamer verlaat en het zal
voor iedereen zichtbaar zijn.

In het hart van het paleis is een tempel voor Sige, de stille
godin. Deze tempel is open voor iedereen. Ga er heen en brand
een kaars, doe een wens of breng een offer. De tempel van Sige
is een heilige plaats met onmeetbare magische krachten
waar het ene wonder na het andere plaatsvindt. Bewonder
het paleis en geniet van je bezoek – want heksen weten zich
daar omringd door ware vrienden.

Balans en dualiteit

Het gezegde hierboven bevat een van de belangrijkste kosmische geheimen. Het was al bekend lang voor de tijd van de grote Egyptische farao's en door de eeuwen heen kom je het steeds weer tegen: bij de Griekse filosofen en de Kelten, in de oosterse religies en in onze moderne tijd. Het is een kracht die oorspronkelijk van Actaeon komt; de kracht van twee. Van daaruit werd het gedragen door de androgyne anima en animus en uiteindelijk in menselijke vorm in de tweelingen – Adam en Lilith, Seth en Zoë.

Het is de geheime kracht van de kosmische krachten die door hun tegenovergestelde eigenschappen balans en dualiteit voortbrengen. De kracht van Ida en Pingala die bij ons allemaal voortkomt uit de chakra's. Deze twee krachten hebben vele namen en hebben te maken met alle tegenstellingen in de wereld omdat de dualiteit van het mannelijke en het vrouwelijke hierin samenkomt. Het combineert de positieve en negatieve balans.

Samen geven zij leven aan alles wat goed en slecht is, rechtvaardig en verkeerd, gelukkig en verdrietig, boven en beneden, warm en koud, binnen en buiten en zo verder tot in het oneindige. In het Oosten worden ze met yin en yang aangeduid en zoals bij alles wat met dualiteit te maken heeft, als yin en yang in balans zijn – als iets van rechts een beetje naar links gaat en iets van links een beetje naar rechts – dan is de harmonie van de kosmos in balans. Als heks moet je ernaar streven de balans te vinden in alles wat je doet, want zo kan jou magie aan kracht winnen.

androgynos

Yin is het vrouwelijke element van balans en dualiteit.

Zij is de dood van de Hulstkoning, de anima, zij is Lilith en Zoë. Zij is alles wat groot, zacht en rijp is. Zij is de aarde in al haar vruchtbaarheid en de maan in haar volle omvang. Zij is het noordelijke halfrond in al haar koude grootsheid. Yin is widdershins, tegen de wijzers van de klok in. Ze is vrede en rust.

Yang is het mannelijke element van balans en dualiteit. Hij is de geboorte van de Eikenkoning, de animus, hij is Adam en Seth. Hij is alles wat klein is en hard en compact. Hij is de zon en zijn energie en de sterren in hun schitterende pracht. Hij is het zuidelijk halfrond in al zijn vurige kracht. Yang is deosiel, met de wijzers van de klok mee. Hij is verandering en strijd.

Als je deze twee krachten combineert, komt je magie tot leven. De kracht van yin straalt widdershins uit de aarde in een spiraal die opengaat richting de hemel. De kracht van yang straalt deosiel uit de zon in een spiraal die zich sluit richting de aarde. Yang ontmoet yin en zij omhult hem. Op dit punt ontstaan magische vormen van energie waaruit alle natuurkrachten voortkomen. Je kunt dit magische moment terugvinden in al het zaad dat bloeit, in al het fruit dat rijpt en in elk kind dat geboren wordt.

De maan

Selene is de Griekse naam voor de Godin in haar gedaante als maan. Andere bekende namen van maangodinnen zijn: Arianrod, Artemis, Astar, Britomartis, Diana, Hecate, Isis, Juno, Persea, Titania en Zirna. Het maanlicht wordt vaak gebruikt bij 'scrying' door naar de weerspiegeling van het licht op het water te kijken. De belangrijkste manen uit de wicca-traditie zijn:

<u>Nieuwe maan:</u> Dit is het maagdelijke aspect van de maan, wanneer zij maar net verschenen is. Het is tijd voor nieuwe magie, voor nieuwe toverspreuken. Wees echter voorzichtig want doordat de zon en de maan op dit punt nog dicht bij elkaar staan, kan er een onverwacht effect optreden. De maan begint daarna te groeien tijdens de wassende periode. Dit is de tijd voor groei, geluk en verrijking van je magie. Aan haar rechterzijde neemt het licht al toe. Dan wordt zij...

<u>Volle maan:</u> Een prachtig ronde schittering van licht aan de hemel. De volle maan vervolmaakt alle magie. Het is tijd voor

Het heksenuur is om middernacht, bij volle maan

voorspoed en volledigheid. Daarna krimpt de maan. Dit is de periode voor bescheidenheid en eenvoud. Aan haar rechterzijde neemt het licht al af. Dan wordt zij...

<u>Donkere maan</u>: Deze verschijnt een dag en een nacht voor de nieuwe maan. De maan vertoont een doorschijnend licht aan haar linkerkant. De donkere maan is het aspect van de oude vrouw, afgestemd op de geest van de aarde. De tijd is geschikt voor intensieve magie: je kunt het onzichtbare zien en contact maken met geesten. De donkere maan verandert in de nieuwe maan als het licht verdwenen is. Dan begint de cyclus opnieuw.

<u>Oogstmaan</u>: Dit is de volle maan die in het begin van de avond en een aantal nachten achter elkaar te zien is. Dit komt door een 'vertraging' bij het opkomen en ondergaan van de maan. Het is langer licht zodat de boeren meer tijd hebben om hun gewassen te oogsten. De oogstmaan verschijnt in augustus en september.

<u>Rode maan</u>: De maan is rood doordat zij een roodkleurig licht weerkaatst dat bekend staat als aardschijnsel. Dit treedt

meestal op bij een maansver-
duistering en het is een teken
dat er grote veranderingen op
komst zijn. Het is een heilige
tijd en je kunt veel bereiken als
je het aardschijnsel gebruikt bij
je magie.

Blauwe maan: De maan weer-
kaatst een blauw licht dat ook
wel maanschijnsel wordt
genoemd. Dit gebeurt meestal
maar één keer in de vier jaar.
Tijdens de blauwe maan is zeer
krachtige magie mogelijk. De
dubbele manen, die ook wel de
blauwe manen worden genoemd,
zijn aan het begin en aan het
eind van de maand zichtbaar
en zij hebben weer te maken
met een tijdsvertraging.

Weeklijst

Maandag is de dag van
de maan: goed voor
schoonheid en vrucht-
baarheid.
Dinsdag is de dag van
Mars: goed voor strijd
en geld.
Woensdag is de dag
van Mercurius: goed
voor succes en zaken.
Donderdag is de dag
van Jupiter: goed voor
geluk en emotie.
Vrijdag is de dag van
Venus: goed voor liefde
en geneeskracht.
Zaterdag is de dag van
Saturnus: goed voor
gezin en familie.
Zondag is de dag van
de Zon: goed voor vrede
en herstel.

De oude maankalender bestond uit dertien maanden. Later is de maankalender vervangen door de zonnekalender met twaalf maanden. In sommige landen gebruikt men nog een combinatie van maan- en zonnekalender.

Tijdens de nieuwe maan kun je beginnen met nieuwe magie, maar er kunnen onverwachte effecten optreden doordat de maan en de zon dicht bij elkaar staan. Wanneer de wassende maan aan de hemel staat, is de tijd goed voor groei, geluk en verrijking. Bij volle maan is het tijd voor voorspoed en vervolmaking. De periode van de krimpende maan is goed voor bescheidenheid, eenvoud en bescherming. Tijdens de donkere maan kun je intensieve magie beoefenen: je kunt het onzichtbare zien en contact maken met geesten. De blauwe en de rode maan kondigen een heilige tijd aan waarin je de kracht van aard- en maanschijnsel kunt gebruiken.

De stormen van verandering

Vele manen geleden viel de zon op de aarde. De zon werd donker en de aarde was omringd door duisternis. Een fijne asregen dwarrelde naar beneden en bedekte de aarde. Heksen over de hele wereld begrepen dat dit een gebaar was van het Vuur uit het zuiden en van de Lucht uit het oosten. Want nergens anders gierde de wind zo vreselijk als in deze

uithoeken van het universum. Lang leek het alsof de zon en de maan ons voor altijd hadden verlaten, maar de heksen wisten wat er gaande was en zij baden, zongen en geloofden en de tijden veranderden. De storm van as ging liggen.

Toen brak de tijd van de regen aan en de wereld werd een zee en de zee werd de wereld. De aarde kraakte onder ons en de stormen van verandering gierden en brulden erger dan ooit. De heksen wisten dat dit de hand van het Water uit het westen was en van de Aarde uit het noorden en zij bleven geloven. De regen hield op en het water ging terug naar de zee. De aarde was herboren.

Tijdens de stormen van verandering is de magie krachtiger dan ooit. Er zijn momenten waarop de wind zo heerlijk zacht en lieflijk ademt dat heksen de stormen dankbaar zijn voor deze magische verandering.

Ronddwarrelende parels van mist en de geur van orchideeën vullen mijn geest. Mijn ogen zien duidelijker dan ooit, overal waar ik kijk zie ik het schitterende licht van de andere wereld en ik voel de spanning, als een onrustig maangetij binnen in me. 'Ze zijn onderweg,' fluistert Sige. 'De stormen van verandering komen eraan en spoedig zal alles in beweging zijn. De tijd van stilstand is voorbij en een nieuwe tijd zal aanbreken – de stormen van verande-

ring wachten niet; zij zijn geboren op het getij van de bovenaardse bewegingen dat ons allen treft.'

Ik strek mijn rug en adem diep de scheppende lucht in, de
geur die de stormen aankondigt was nog nooit zo sterk. Ik
vraag hen me te omringen met alle magische momenten uit
de voorbije tijd. Ik wikkel me in het gefluister van een zijden sjaal. De stormen van verandering zijn mijn vrienden
die me zullen helpen verder te gaan. Zij zorgen ervoor dat
iedereen zijn eigen levenspad kan bewandelen om daarna
aan een nieuwe reis te beginnen.

Dat moment is nu aangebroken. Het is tijd om verder te
gaan en ik weet dat alles wat ik in deze gewijde tijd aanraak
in goud verandert. Er is geen datum op de kalender die de komst
van de stormen aankondigt; ze komen en gaan als het zo ver is
en dat kan niet gestuurd worden. Een heks leert de veranderingen in de lucht te herkennen en merkt de verschillen in
haar omgeving op. Als ze gebruik wil maken van de buitenge-
wone kracht van de stormen van verandering dan moet ze in
dat korte moment handelen. Sterk en verschrikkelijk, zacht
en zoet, als ze de lucht om ons heen aanraken, kunnen we
deze tijd gebruiken om onze dromen te verwezenlijken want
het onmogelijke is mogelijk tijdens de stormen van verandering. Het is een vruchtbare tijd, want het is onze tijd...

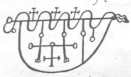